The Ukulele playlist

Blue book

First published by Faber Music Ltd in 2009
Bloomsbury House 74–77 Great Russell Street London WC1B 3DA

Compiled by Alex Davis, Helen Crook & Lucy Holliday
Arranged by Alex Davis
Edited by Lucy Holliday

Designed by Lydia Merrills-Ashcroft
Photography by Ben Turner

Special thanks to Alex & Helen, Caroline, David, Eleanor, Hannah,
Henry, Janella & Rachel.

Printed in England by Caligraving Ltd

The text paper used in this publication is a virgin fibre product that is manufactured in the UK to ISO 14001 standards. The wood fibre used is only sourced from managed forests using sustainable forestry principles. This paper is 100% recyclable

ISBN10: 0-571-53327-2
EAN13: 978-0-571-53327-5

To buy Faber Music publications or to find out about the full range of titles available, please contact your local music retailer or Faber Music sales enquiries:

Faber Music Ltd, Burnt Mill, Elizabeth Way,
Harlow, CM20 2HX England
Tel: +44(0)1279 82 89 82
Fax: +44(0)1279 82 89 83
sales@fabermusic.com fabermusic.com

Tuning

The standard Ukulele string tuning is G–C–E–A, shown here on the treble stave and piano keyboard. Note that the G string is tuned higher than the C string.

You can tune your Ukulele using a piano or keyboard (or any other instrument that you know is in tune!) or by using an electronic chromatic tuner.

If just one string on your Ukulele is in tune then you can use it to tune the other strings as well.

This diagram shows which fretted notes match the note of the open string above. Eg. Pluck the first string at the 5th fret and match the note to the second open string, and so on.

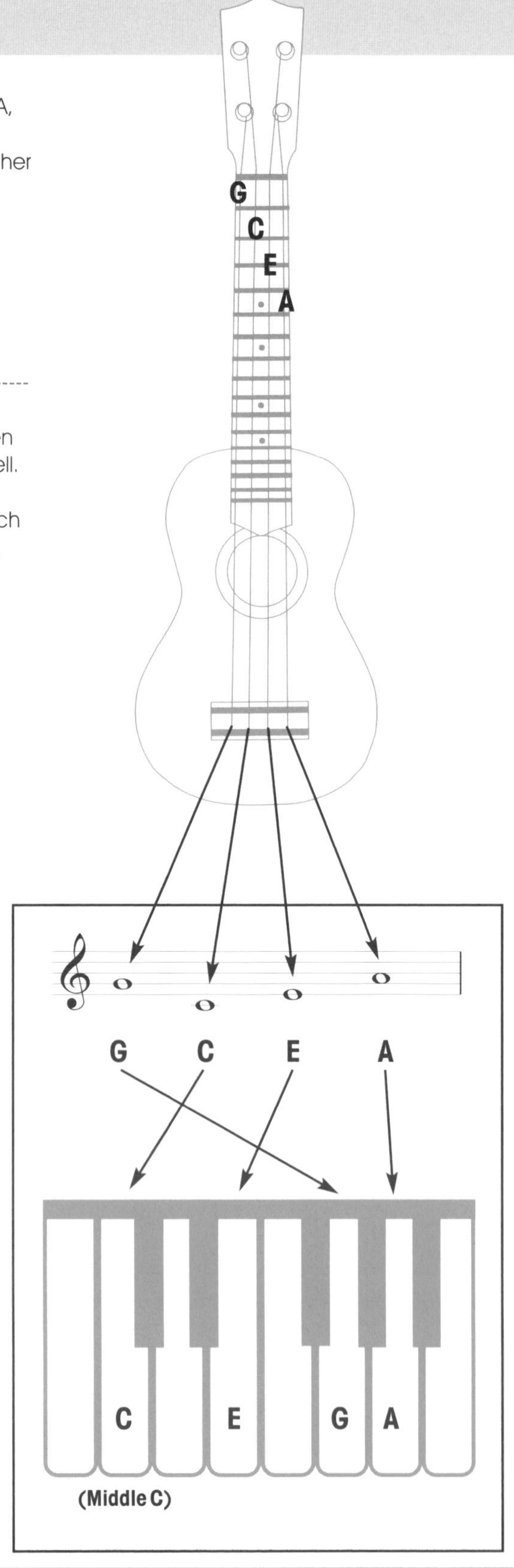

G
C
E
A
G C E A
C E G A
(Middle C)

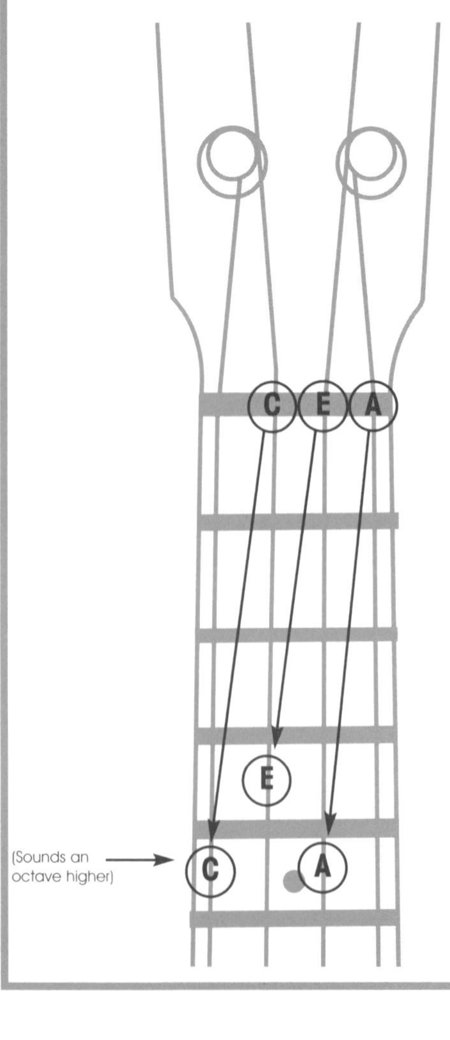

C E A
E
(Sounds an octave higher)
C
A

Reading Chord Boxes

A chord box is basically a diagram of how a chord is played on the neck of the Ukulele. It shows you which string to play, where to put your fingers and whereabouts on the neck the chord is played.

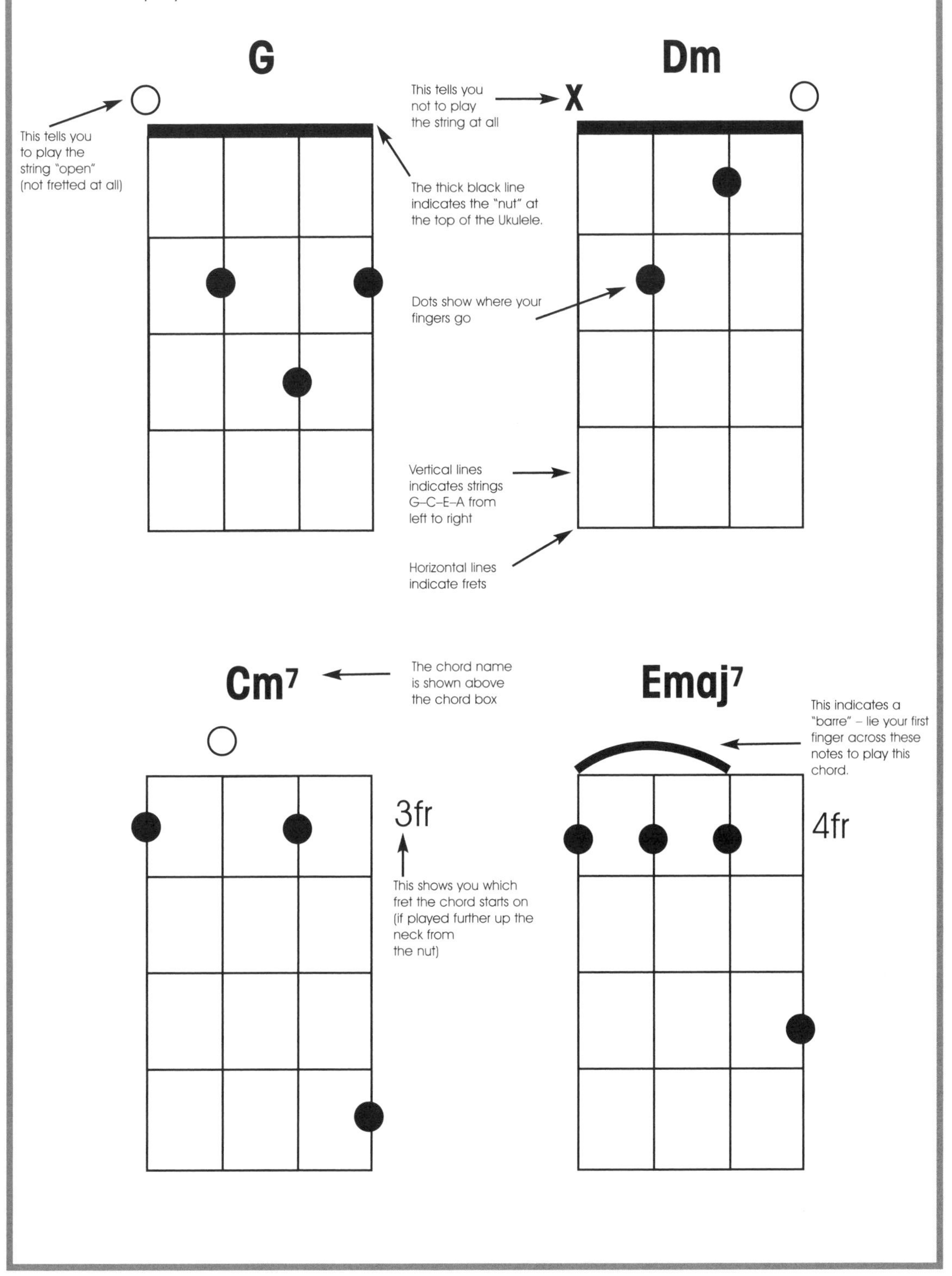

G
This tells you to play the string "open" (not fretted at all)
The thick black line indicates the "nut" at the top of the Ukulele.
Dm
This tells you not to play the string at all
X
Dots show where your fingers go
Vertical lines indicates strings G–C–E–A from left to right
Horizontal lines indicate frets
Cm7
The chord name is shown above the chord box
3fr
This shows you which fret the chord starts on (if played further up the neck from the nut)
Emaj7
This indicates a "barre" – lie your first finger across these notes to play this chord.
4fr

ALWAYS LOOK ON THE BRIGHT SIDE OF LIFE

Words and Music by Eric Idle

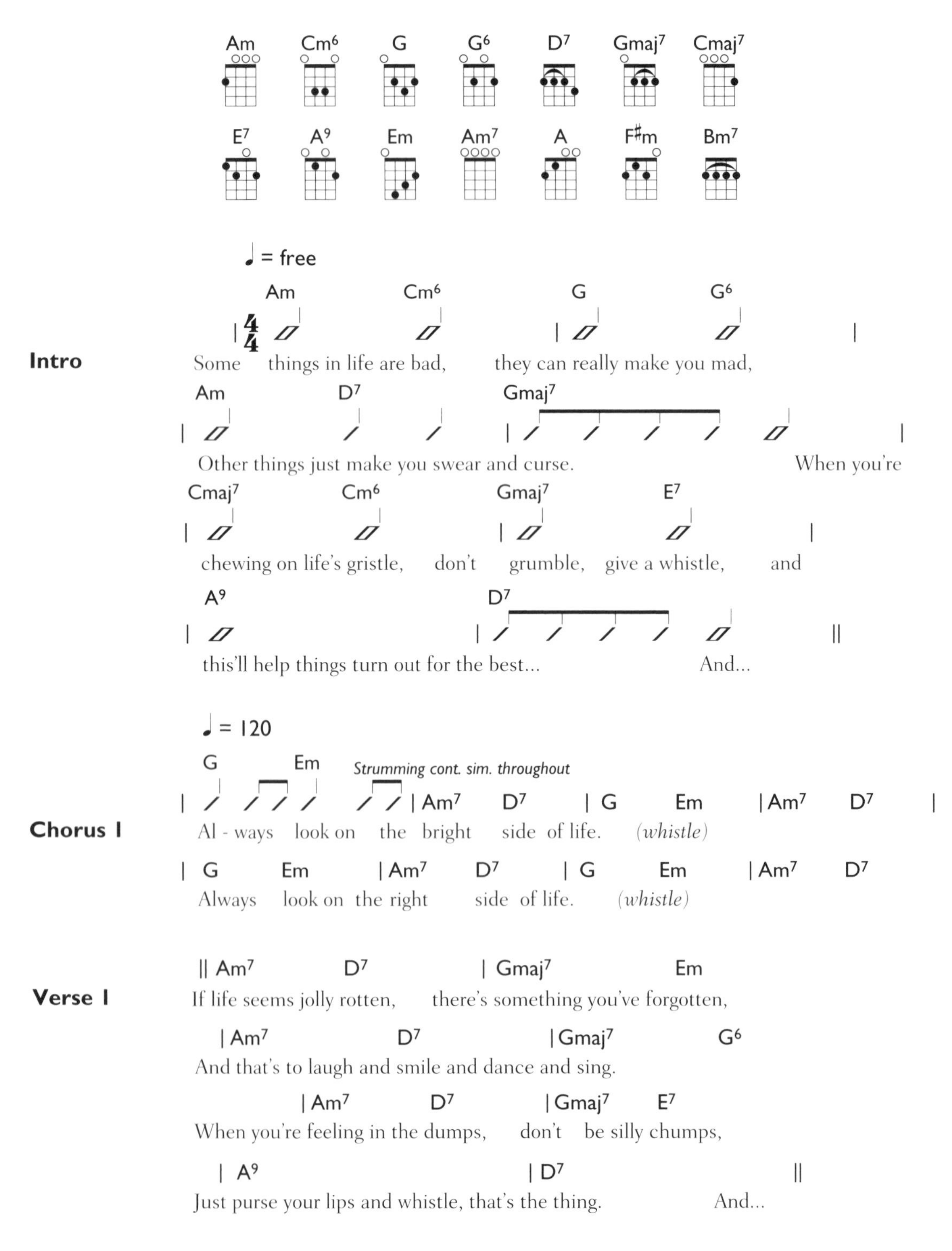
Am Cm6 G G6 D7 Gmaj7 Cmaj7
E7 A9 Em Am7 A F#m Bm7
♩ = free
Intro
Am Cm6 G G6
Some things in life are bad, they can really make you mad,
Am D7 Gmaj7
Other things just make you swear and curse. When you're
Cmaj7 Cm6 Gmaj7 E7
chewing on life's gristle, don't grumble, give a whistle, and
A9 D7
this'll help things turn out for the best... And...
♩ = 120
Chorus 1
G Em
Strumming cont. sim. throughout
Am7 D7 G Em Am7 D7
Al - ways look on the bright side of life. (whistle)
G Em Am7 D7 G Em Am7 D7
Always look on the right side of life. (whistle)
Verse 1
Am7 D7 Gmaj7 Em
If life seems jolly rotten, there's something you've forgotten,
Am7 D7 Gmaj7 G6
And that's to laugh and smile and dance and sing.
Am7 D7 Gmaj7 E7
When you're feeling in the dumps, don't be silly chumps,
A9 D7
Just purse your lips and whistle, that's the thing. And...

Chorus 2 *As Chorus 1*

Verse 2

|| Am^{7} D^{7} | Gmaj^{7} Em
For life is quite absurd and death's the final word,
| Am^{7} D^{7} | Gmaj^{7} G^{6}
You must always face the curtain with a bow.
| Am^{7} D^{7} | Gmaj^{7} E^{7}
For - get about your sin, give the audience a grin.
| A^{9} | D^{7}
En - joy it, it's your last chance any - how.

Chorus 3

|| G Em | Am^{7} D^{7} | G Em | Am^{7} D^{7} |
So always look on the bright side of death, *(whistle)*
| G Em | Am^{7} D^{7} | G Em | Am^{7} D^{7} |
Just be - fore you draw your terminal breath. *(whistle)*

Verse 3

| Am^{7} D^{7} | Gmaj^{7} Em |
Life's a piece of s**t when you look at it,
| Am^{7} D^{7} | Gmaj^{7} G^{6}
Life's a laugh and death's a joke, it's true.
| Am^{7} D^{7} | Gmaj^{7} E^{7}
You'll see it's all a show, keep 'em laughing as you go,
| A^{9} | D^{7} ||
Just re - member that the last laugh is on you. And...

Chorus 4 *As Chorus 1*

Outro

||: A F♯m | Bm^{7} E^{7} | A F♯m | Bm^{7} E^{7} |
Always look on the bright side of life, *(whistle)*
Repeat and fade with spoken dialogue
| A F♯m | Bm^{7} E^{7} | A F♯m | Bm^{7} E^{7} :||
Always look on the right side of life. *(whistle)*

Come on Brian, cheer up!
Worse things happen at sea you know!
I mean, what have you got to lose?
You know, you come from nothing,
you're going back to nothing,
what have you lost? Nothing!
Nothing will come from nothing,
you know what they say?
Cheer up you old bugger, c'mon give us a grin!
There you go, see!
Incidentally this record's available in the foyer...

BACK FOR GOOD

Words and Music by Gary Barlow

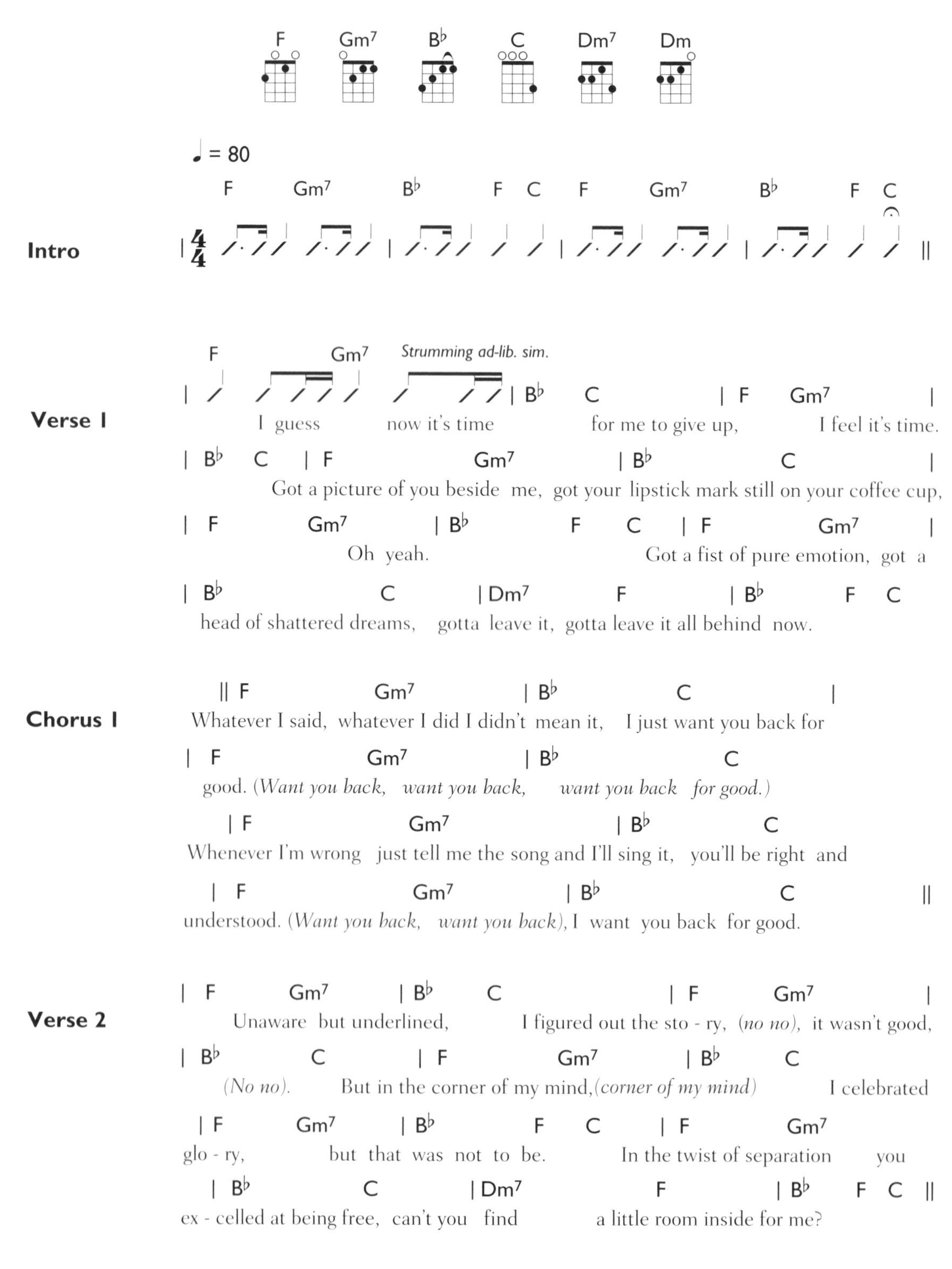
F Gm7 B♭ C Dm7 Dm
♩ = 80
Intro
F Gm7 B♭ F C F Gm7 B♭ F C
Verse 1
Strumming ad-lib. sim.
F Gm7 B♭ C F Gm7
I guess now it's time for me to give up, I feel it's time.
B♭ C F Gm7 B♭ C
Got a picture of you beside me, got your lipstick mark still on your coffee cup,
F Gm7 B♭ F C F Gm7
Oh yeah. Got a fist of pure emotion, got a
B♭ C Dm7 F B♭ F C
head of shattered dreams, gotta leave it, gotta leave it all behind now.
Chorus 1
F Gm7 B♭ C
Whatever I said, whatever I did I didn't mean it, I just want you back for
F Gm7 B♭ C
good. (Want you back, want you back, want you back for good.)
F Gm7 B♭ C
Whenever I'm wrong just tell me the song and I'll sing it, you'll be right and
F Gm7 B♭ C
understood. (Want you back, want you back), I want you back for good.
Verse 2
F Gm7 B♭ C F Gm7
Unaware but underlined, I figured out the sto - ry, (no no), it wasn't good,
B♭ C F Gm7 B♭ C
(No no). But in the corner of my mind, (corner of my mind) I celebrated
F Gm7 B♭ F C F Gm7
glo - ry, but that was not to be. In the twist of separation you
B♭ C Dm7 F B♭ F C
ex - celled at being free, can't you find a little room inside for me?

Chorus 2 *As Chorus 1*

Mid-Section

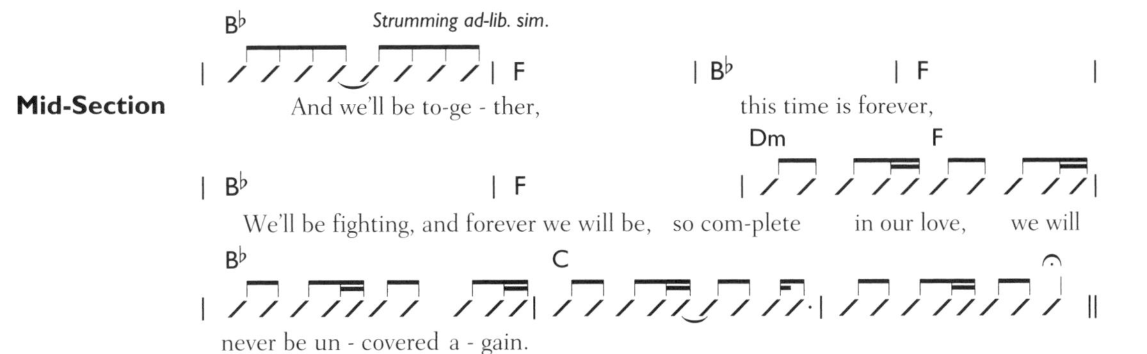
Strumming ad-lib. sim.
B♭ F B♭ F
And we'll be to-ge - ther, this time is forever,
B♭ F Dm F
We'll be fighting, and forever we will be, so com-plete in our love, we will
B♭ C
never be un - covered a - gain.

Chorus 3 *As Chorus 1*

Chorus 4 *As Chorus 1*

Outro

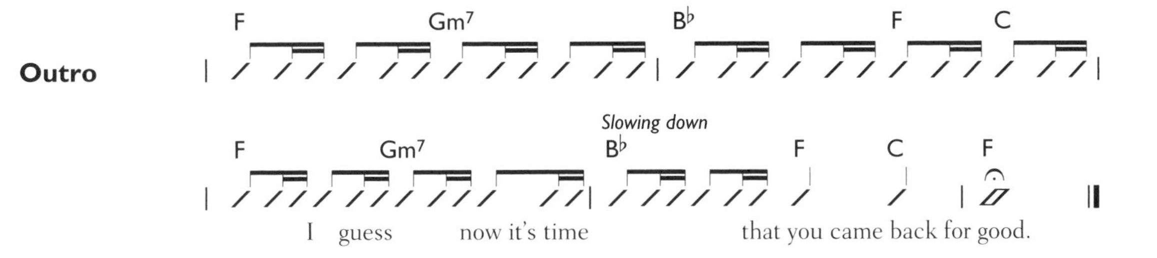
F Gm7 B♭ F C
Slowing down
F Gm7 B♭ F C F
I guess now it's time that you came back for good.

BITTERSWEET SYMPHONY

Words by Richard Ashcroft
Music by Mick Jagger and Keith Richards

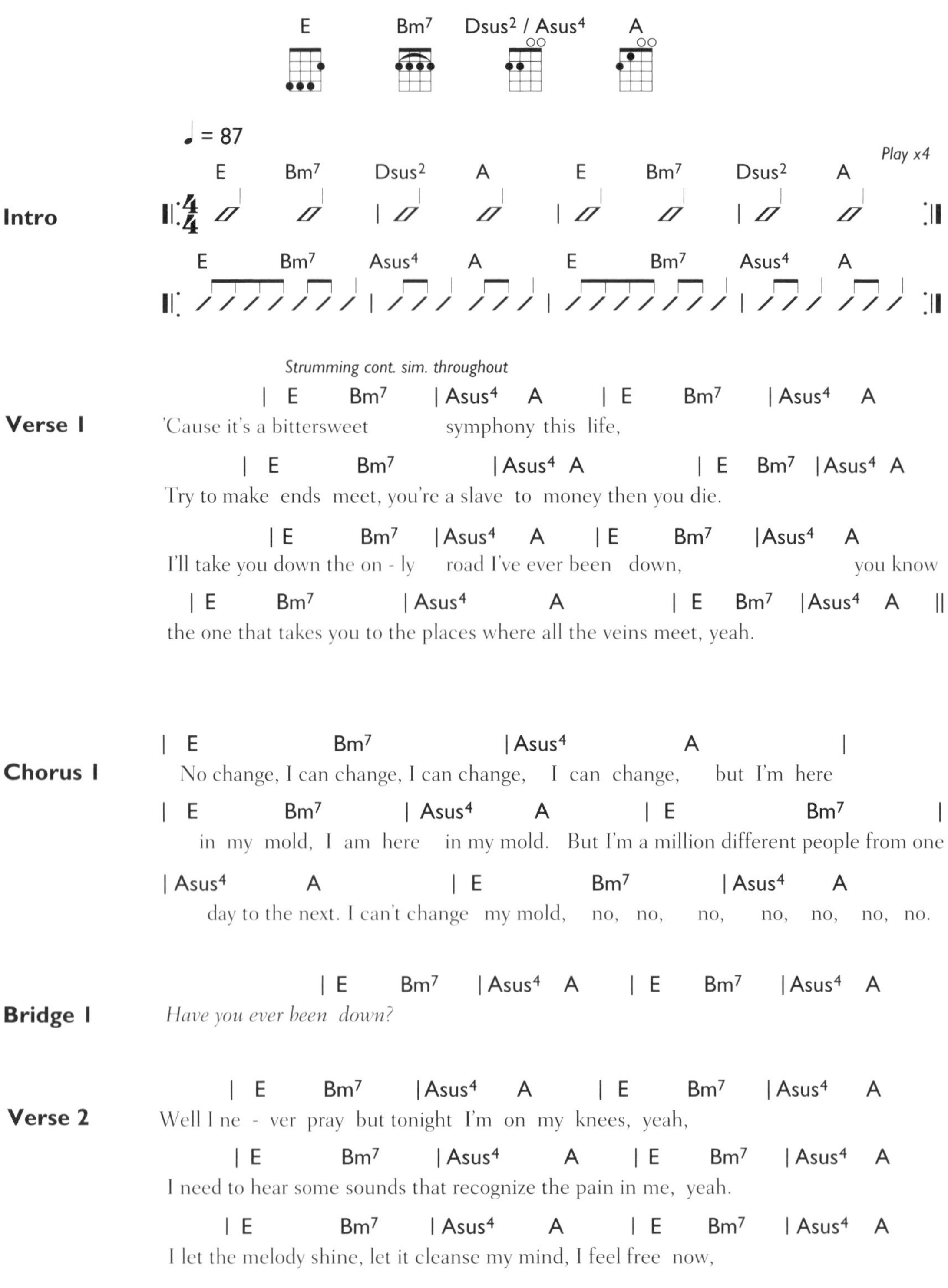
E Bm7 Dsus2 / Asus4 A
♩ = 87
Play x4
Intro
E Bm7 Dsus2 A E Bm7 Dsus2 A
E Bm7 Asus4 A E Bm7 Asus4 A
Strumming cont. sim. throughout
Verse 1
| E Bm7 | Asus4 A | E Bm7 | Asus4 A
'Cause it's a bittersweet symphony this life,
| E Bm7 | Asus4 A | E Bm7 | Asus4 A
Try to make ends meet, you're a slave to money then you die.
| E Bm7 | Asus4 A | E Bm7 | Asus4 A
I'll take you down the on - ly road I've ever been down, you know
| E Bm7 | Asus4 A | E Bm7 | Asus4 A ||
the one that takes you to the places where all the veins meet, yeah.
Chorus 1
| E Bm7 | Asus4 A |
No change, I can change, I can change, I can change, but I'm here
| E Bm7 | Asus4 A | E Bm7 |
in my mold, I am here in my mold. But I'm a million different people from one
| Asus4 A | E Bm7 | Asus4 A
day to the next. I can't change my mold, no, no, no, no, no, no, no.
Bridge 1
| E Bm7 | Asus4 A | E Bm7 | Asus4 A
Have you ever been down?
Verse 2
| E Bm7 | Asus4 A | E Bm7 | Asus4 A
Well I ne - ver pray but tonight I'm on my knees, yeah,
| E Bm7 | Asus4 A | E Bm7 | Asus4 A
I need to hear some sounds that recognize the pain in me, yeah.
| E Bm7 | Asus4 A | E Bm7 | Asus4 A
I let the melody shine, let it cleanse my mind, I feel free now,

cont.

| E Bm⁷ | Asus⁴ A | E Bm⁷ | Asus⁴ A ||
But the air - ways are clean, and there's no - body singing to me now.

Chorus 2 *As Chorus 1*

Bridge 2

| E Bm⁷ | Asus⁴ A | E Bm⁷ | Asus⁴ A
Have you ever been down?
I can change. I can change.

Verse 3

| E Bm⁷ | Asus⁴ A | E Bm⁷ | Asus⁴ A
'Cause it's a bittersweet symphony this life,
| E Bm⁷ | Asus⁴ A | E Bm⁷ | Asus⁴ A
Try to make ends meet, try to find some money then you die.
| E Bm⁷ | Asus⁴ A | E Bm⁷ | Asus⁴ A
I'll take you down the on - ly road I've ever been down, you know
| E Bm⁷ | Asus⁴ A | E Bm⁷ | Asus⁴ A ||
the one that takes you to the places where all the things meet, yeah.

Chorus 3 *As Chorus 1*

Bridge 3

| E Bm⁷ | Asus⁴ A | E Bm⁷ |
I can't change my mold, no, no, no, no, no. I can't change my, no, no, no,
| Asus⁴ A | E Bm⁷ | Asus⁴ A |
no, no. It's just sex and violence, me - lody and silence. It's just
| E Bm⁷ | Asus⁴ A
sex and violence, me - lody and silence.

Outro

||: E Bm⁷ | Asus⁴ A |
It's just sex and violence, me - lody and silence. It's just
I'll take you down the only road I've ever been

Ad-lib. on repeats and fade out

| E Bm⁷ | Asus⁴ A :||
sex and violence, me - lody and silence.
down...

BUILD ME UP BUTTERCUP

Words and Music by Tony Macaulay and Mike D'Abo

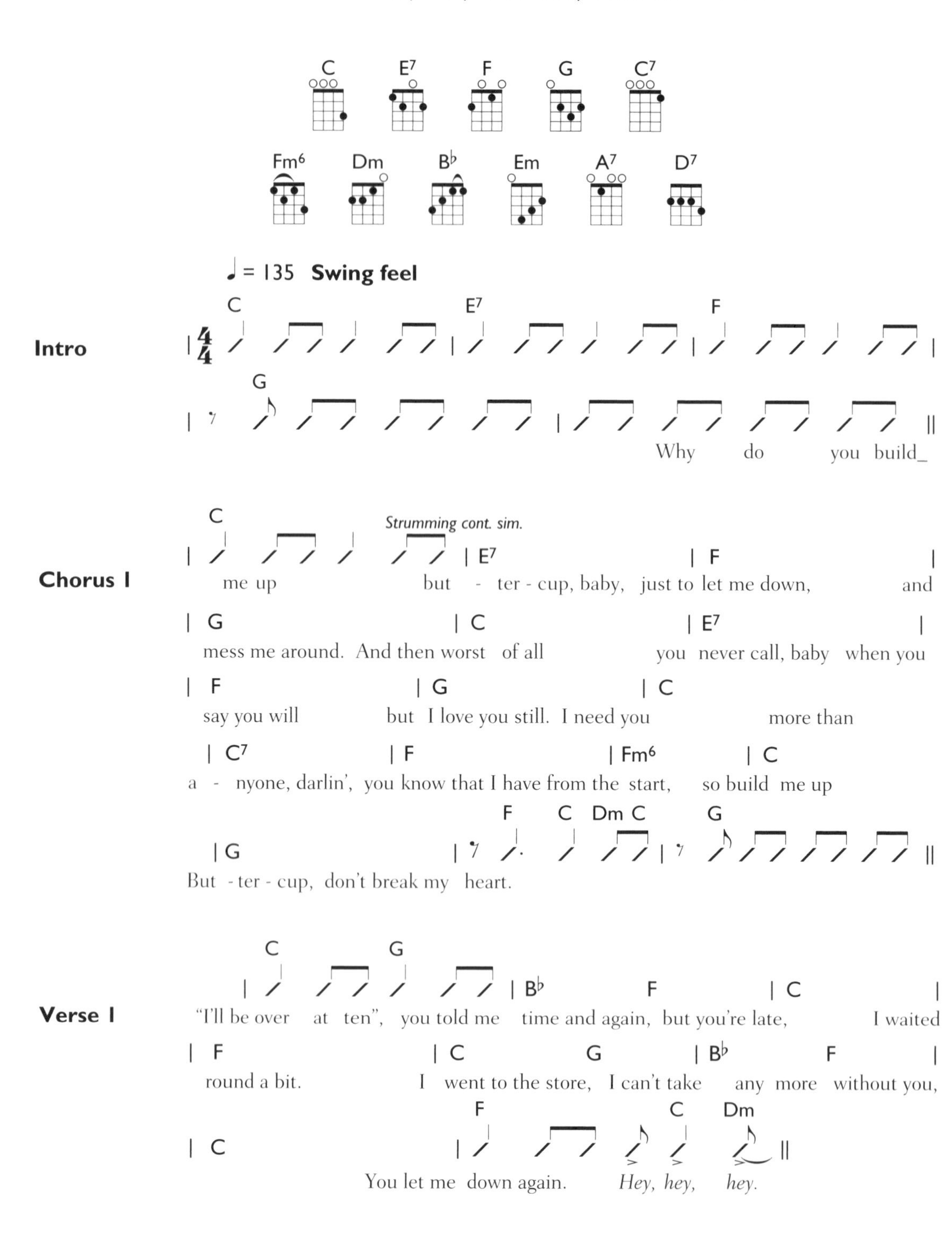

C E7 F G C7
Fm6 Dm B♭ Em A7 D7
♩ = 135 Swing feel
Intro
C E7 F
G
Why do you build_
Chorus 1
C
Strumming cont. sim.
me up but - ter - cup, baby, just to let me down, and
E7 F
G C E7
mess me around. And then worst of all you never call, baby when you
F G C
say you will but I love you still. I need you more than
C7 F Fm6 C
a - nyone, darlin', you know that I have from the start, so build me up
G F C Dm C G
But - ter - cup, don't break my heart.
Verse 1
C G B♭ F C
"I'll be over at ten", you told me time and again, but you're late, I waited
F C G B♭ F
round a bit. I went to the store, I can't take any more without you,
C F C Dm
You let me down again. Hey, hey, hey.

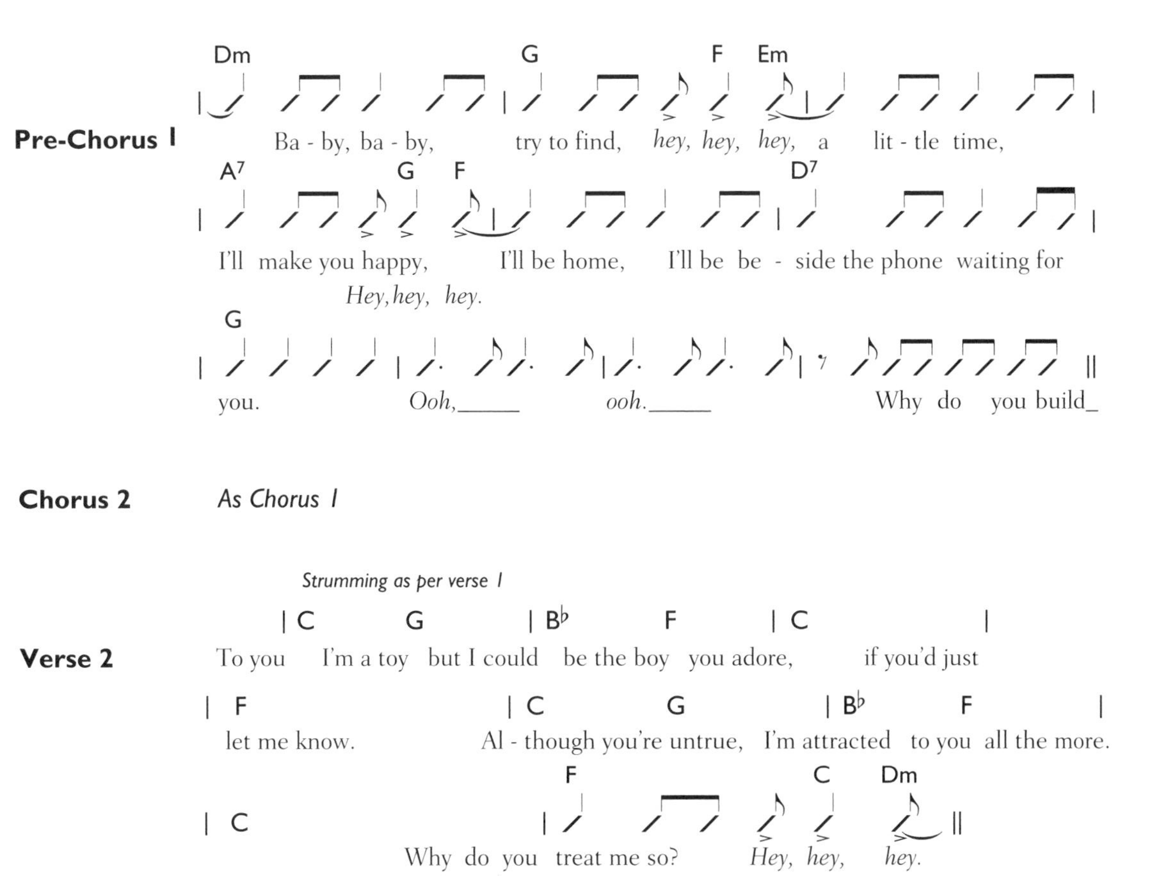
Pre-Chorus 1
Dm G F Em
Ba - by, ba - by, try to find, hey, hey, hey, a lit - tle time,
A7 G F D7
I'll make you happy, I'll be home, I'll be be - side the phone waiting for
Hey, hey, hey.
G
you. Ooh, ooh. Why do you build
Chorus 2
As Chorus 1
Strumming as per verse 1
Verse 2
| C G | B♭ F | C |
To you I'm a toy but I could be the boy you adore, if you'd just
| F | C G | B♭ F |
let me know. Al - though you're untrue, I'm attracted to you all the more.
| C F C Dm ||
Why do you treat me so? Hey, hey, hey.

Pre-Chorus 2 *As Pre-Chorus 1*

Chorus 3 *As Chorus 1 - fade out*

COME ON EILEEN

Words and Music by Kevin Rowland, James Paterson and Kevin Adams

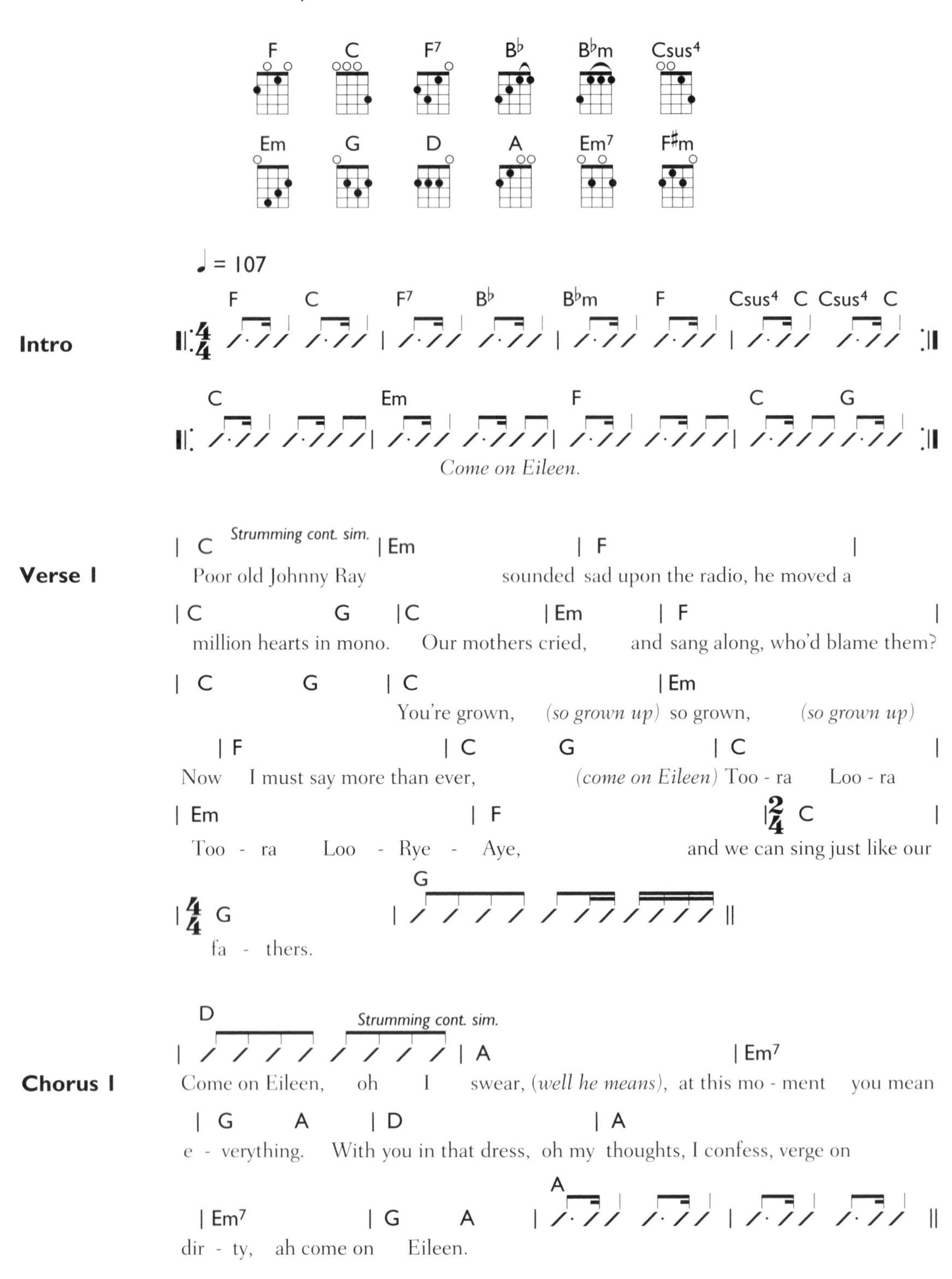
F C F7 B♭ B♭m Csus4
Em G D A Em7 F♯m
♩ = 107
Intro
F C F7 B♭ B♭m F Csus4 C Csus4 C
C Em F C G
Come on Eileen.
Verse 1
C Strumming cont. sim. Em F
Poor old Johnny Ray sounded sad upon the radio, he moved a
C G C Em F
million hearts in mono. Our mothers cried, and sang along, who'd blame them?
C G C Em
You're grown, (so grown up) so grown, (so grown up)
F C G C
Now I must say more than ever, (come on Eileen) Too - ra Loo - ra
Em F C
Too - ra Loo - Rye - Aye, and we can sing just like our
G G
fa - thers.
Chorus 1
D Strumming cont. sim. A Em7
Come on Eileen, oh I swear, (well he means), at this mo - ment you mean
G A D A
e - verything. With you in that dress, oh my thoughts, I confess, verge on
Em7 G A A
dir - ty, ah come on Eileen.

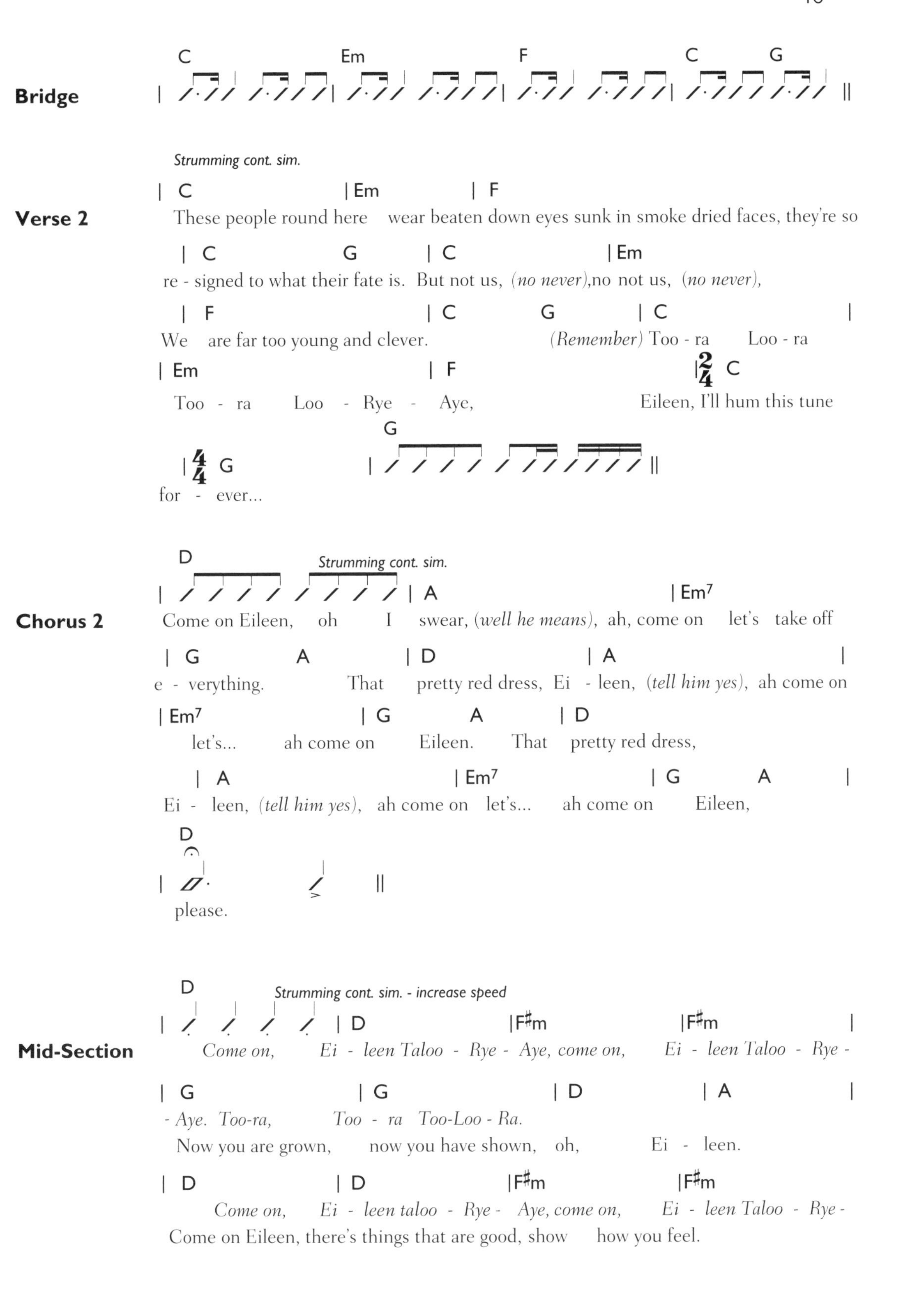

Bridge
C Em F C G
Strumming cont. sim.
Verse 2
| C | Em | F
These people round here wear beaten down eyes sunk in smoke dried faces, they're so
| C G | C | Em
re - signed to what their fate is. But not us, (no never), no not us, (no never),
| F | C G | C |
We are far too young and clever. (Remember) Too - ra Loo - ra
| Em | F 2/4 C
Too - ra Loo - Rye - Aye, Eileen, I'll hum this tune
4/4 G G
for - ever...
D
Strumming cont. sim.
| A | Em7
Chorus 2
Come on Eileen, oh I swear, (well he means), ah, come on let's take off
| G A | D | A |
e - verything. That pretty red dress, Ei - leen, (tell him yes), ah come on
| Em7 | G A | D
let's... ah come on Eileen. That pretty red dress,
| A | Em7 | G A |
Ei - leen, (tell him yes), ah come on let's... ah come on Eileen,
D
please.
D
Strumming cont. sim. - increase speed
| D |F#m |F#m |
Mid-Section
Come on, Ei - leen Taloo - Rye - Aye, come on, Ei - leen Taloo - Rye -
| G | G | D | A |
- Aye. Too-ra, Too - ra Too-Loo - Ra.
Now you are grown, now you have shown, oh, Ei - leen.
| D | D |F#m |F#m
Come on, Ei - leen taloo - Rye - Aye, come on, Ei - leen Taloo - Rye -
Come on Eileen, there's things that are good, show how you feel.

cont.

| G | G | D | A |
- Aye. Too-ra, Too - ra Too-Loo - Ra.
Now I must say more than ever, things round here have changed. I said

| D | D | F♯m | F♯m |
Come on, Ei - leen Taloo - Rye - Aye. Come on, Ei - leen Taloo - Rye -
Too - ra Loo - ra Too - ra Loo - Rye -

| G | G | D / / / / / / / / | A / / / / / / / / ||
- Aye. Too-ra, Too - ra Too-Loo - Ra.
Aye.________

Back to original tempo

Outro Chorus

||: D / / / / / / / / (*Strumming cont. sim.*) | A | Em7
Come on Eileen, oh I swear, (*well he means*), at this mo - ment you mean

| G A | D | A
e - verything. You in that dress, oh my thoughts, I confess, verge on

| Em7 | G A :||
dir - ty, ah come on Eileen.

CRAZY LITTLE THING CALLED LOVE

Words and Music by Freddie Mercury

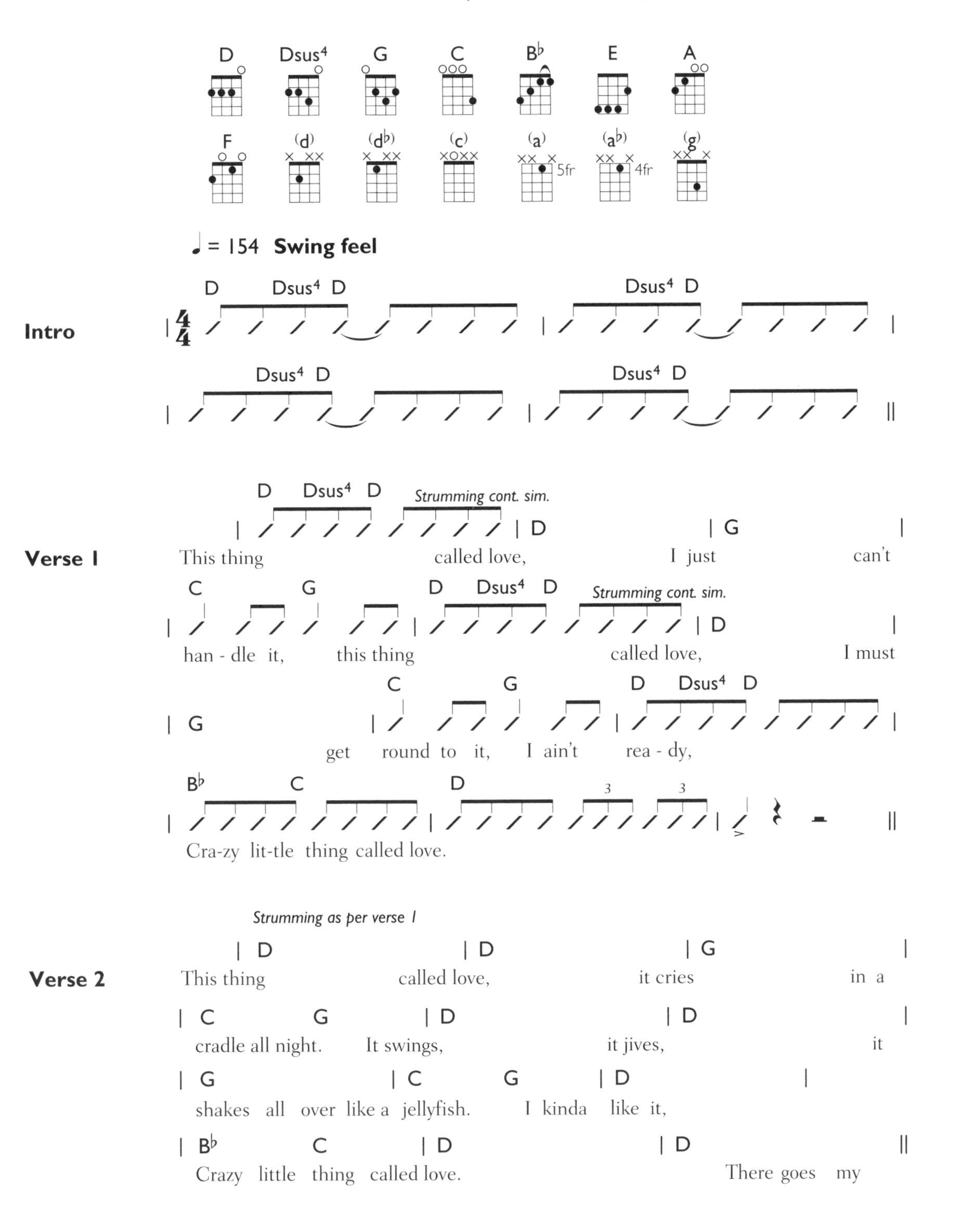
D Dsus4 G C B♭ E A
F (d) (d♭) (c) (a) (a♭) (g)
5fr 4fr
♩ = 154 Swing feel
Intro
D Dsus4 D Dsus4 D
Dsus4 D Dsus4 D
Verse 1
D Dsus4 D Strumming cont. sim. D G
This thing called love, I just can't
C G D Dsus4 D Strumming cont. sim. D
han - dle it, this thing called love, I must
G C G D Dsus4 D
get round to it, I ain't rea - dy,
B♭ C D 3 3
Cra-zy lit-tle thing called love.
Strumming as per verse 1
Verse 2
D D G
This thing called love, it cries in a
C G D D
cradle all night. It swings, it jives, it
G C G D
shakes all over like a jellyfish. I kinda like it,
B♭ C D D
Crazy little thing called love. There goes my

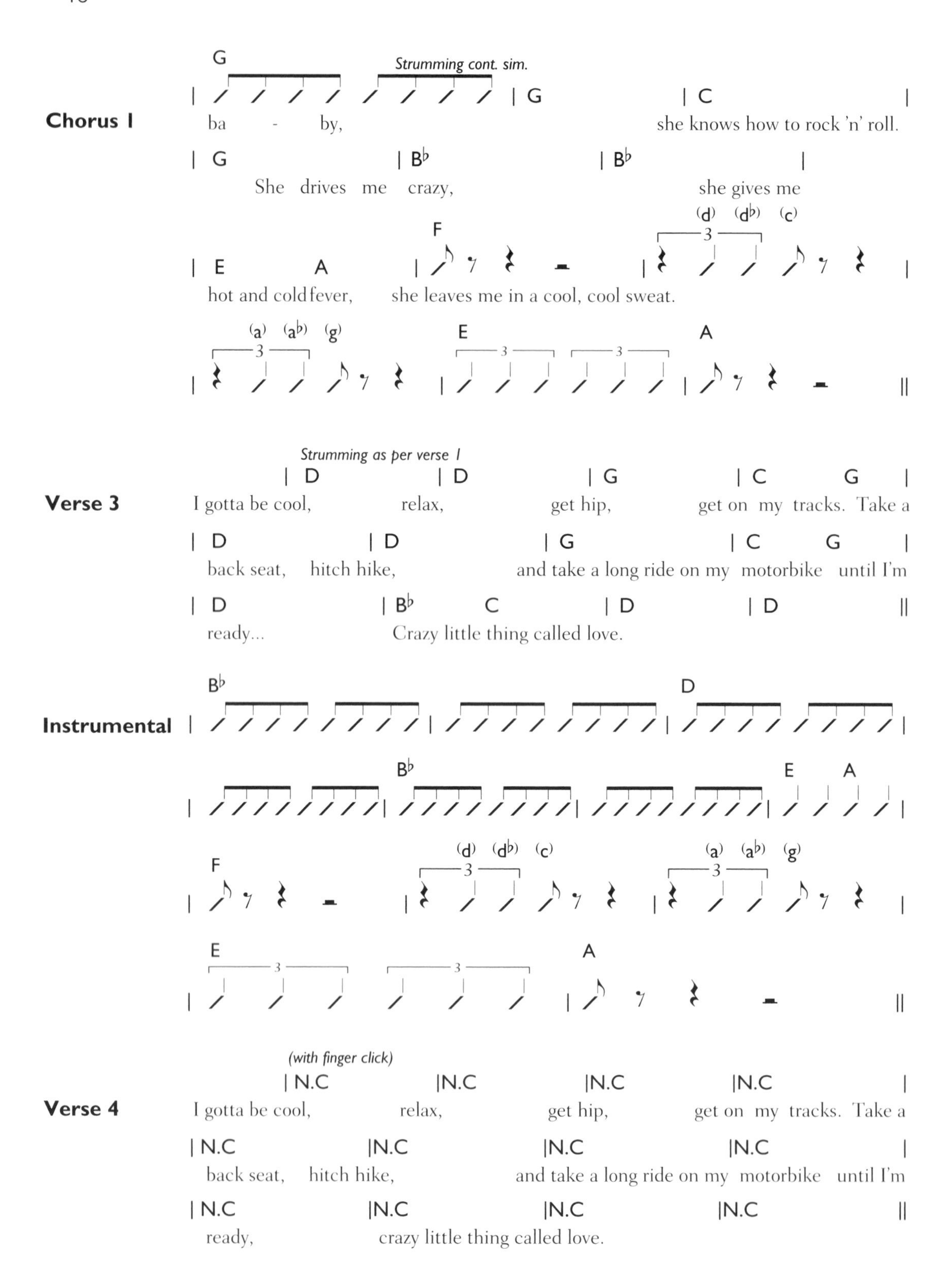
Chorus I
G
Strumming cont. sim.
| G | C |
ba - by, she knows how to rock 'n' roll.
| G | B♭ | B♭ |
She drives me crazy, she gives me
| E A | F | (d) (d♭) (c) |
hot and cold fever, she leaves me in a cool, cool sweat.
(a) (a♭) (g) E A
Verse 3
Strumming as per verse 1
| D | D | G | C G |
I gotta be cool, relax, get hip, get on my tracks. Take a
| D | D | G | C G |
back seat, hitch hike, and take a long ride on my motorbike until I'm
| D | B♭ C | D | D ||
ready... Crazy little thing called love.
Instrumental
B♭ D
B♭ E A
F (d) (d♭) (c) (a) (a♭) (g)
E A
Verse 4
(with finger click)
| N.C |N.C |N.C |N.C |
I gotta be cool, relax, get hip, get on my tracks. Take a
| N.C |N.C |N.C |N.C |
back seat, hitch hike, and take a long ride on my motorbike until I'm
| N.C |N.C |N.C |N.C ||
ready, crazy little thing called love.

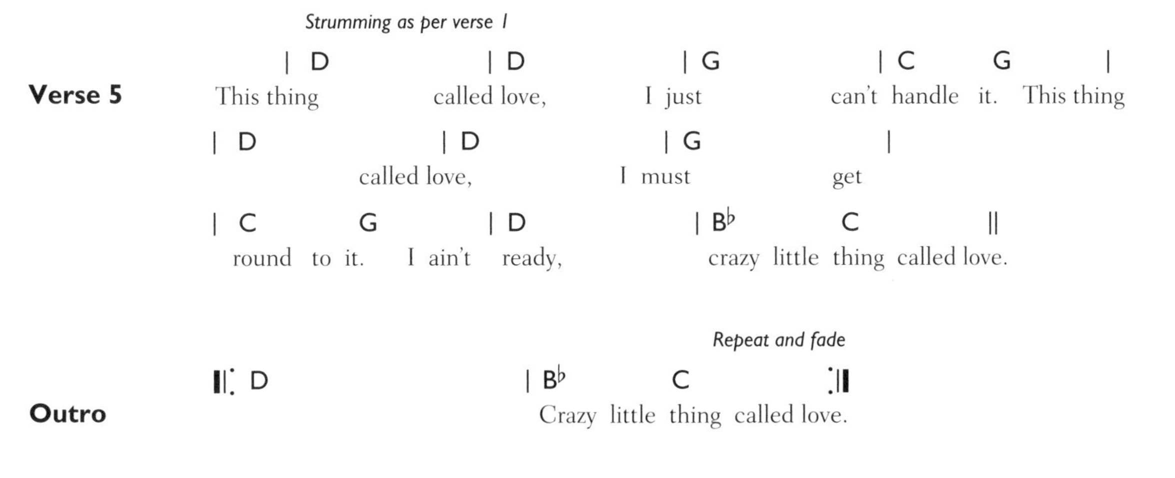
Strumming as per verse 1
Verse 5
| D | D | G | C G |
This thing called love, I just can't handle it. This thing
| D | D | G |
called love, I must get
| C G | D | B♭ C ||
round to it. I ain't ready, crazy little thing called love.
Repeat and fade
Outro
||: D | B♭ C :||
Crazy little thing called love.

CREEP

Words and Music by Thomas Yorke, Edward O'Brien,
Colin Greenwood, Jonathan Greenwood, Philip Selway,
Albert Hammond and Mike Hazelwood

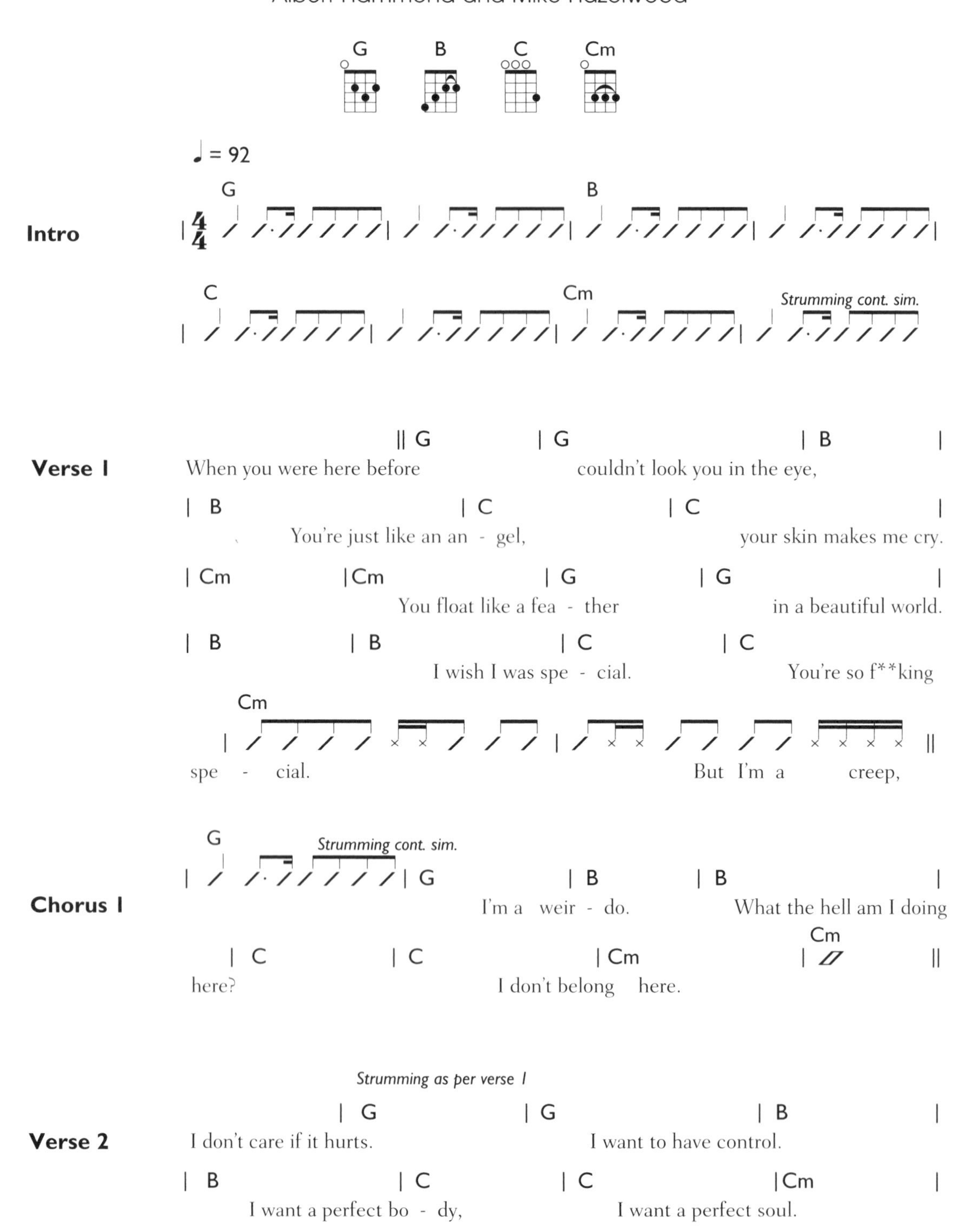
G B C Cm
♩ = 92
Intro
G B
C Cm
Strumming cont. sim.
Verse 1
|| G | G | B |
When you were here before couldn't look you in the eye,
| B | C | C |
You're just like an an - gel, your skin makes me cry.
| Cm | Cm | G | G |
You float like a fea - ther in a beautiful world.
| B | B | C | C
I wish I was spe - cial. You're so f**king
Cm
spe - cial. But I'm a creep,
Chorus 1
G
Strumming cont. sim.
| G | B | B |
I'm a weir - do. What the hell am I doing
| C | C | Cm | Cm ||
here? I don't belong here.
Strumming as per verse 1
Verse 2
| G | G | B |
I don't care if it hurts. I want to have control.
| B | C | C | Cm |
I want a perfect bo - dy, I want a perfect soul.

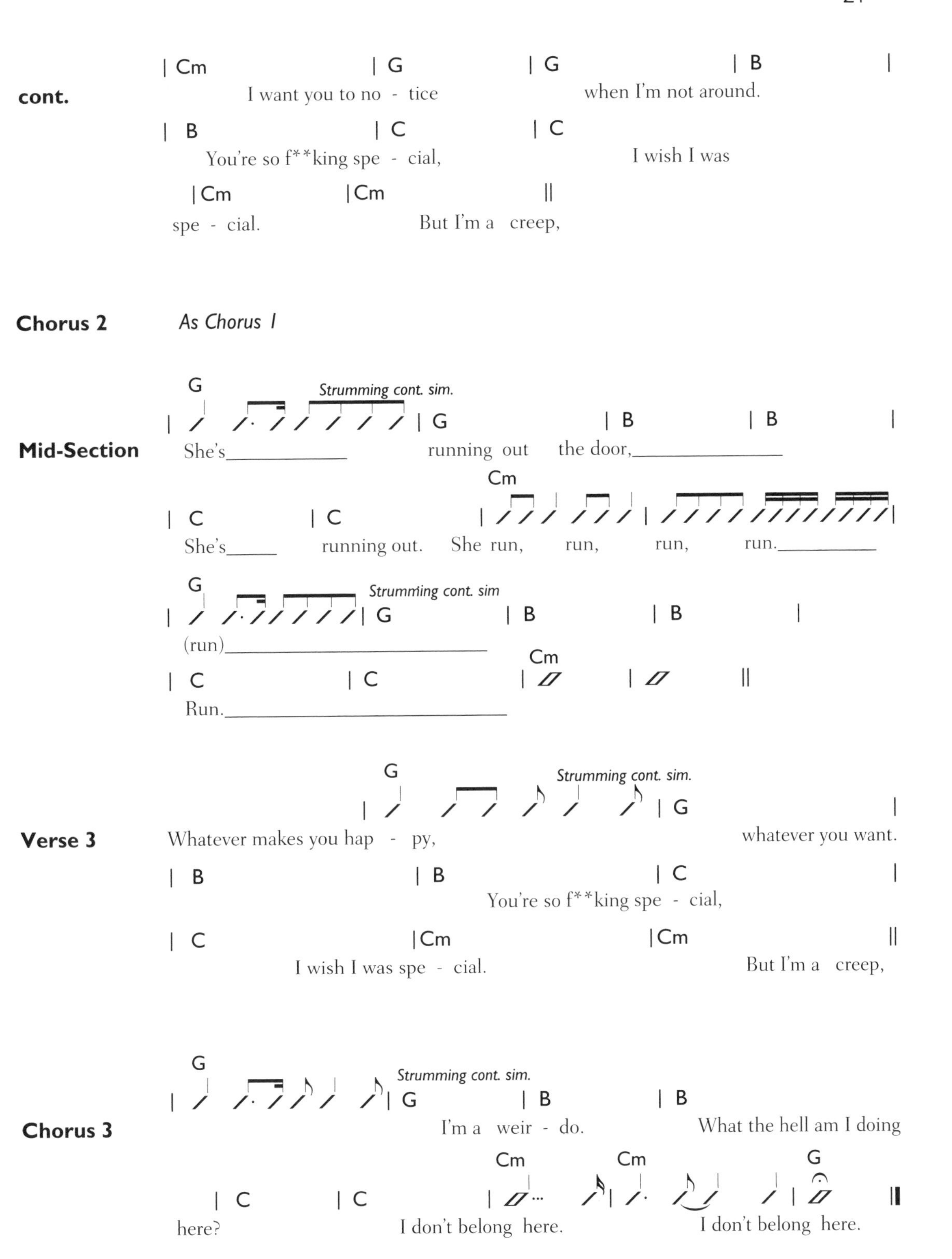

cont.
| Cm | G | G | B |
I want you to no - tice
when I'm not around.
| B | C | C
You're so f**king spe - cial,
I wish I was
| Cm | Cm ||
spe - cial.
But I'm a creep,
Chorus 2
As Chorus 1
Mid-Section
G
Strumming cont. sim.
| G | B | B |
She's
running out
the door,
| C | C
Cm
She's
running out.
She run,
run,
run,
run.
G
Strumming cont. sim
| G | B | B |
(run)
| C | C
Cm
||
Run.
Verse 3
G
Strumming cont. sim.
| G |
Whatever makes you hap - py,
whatever you want.
| B | B | C |
You're so f**king spe - cial,
| C | Cm | Cm ||
I wish I was spe - cial.
But I'm a creep,
Chorus 3
G
Strumming cont. sim.
| G | B | B
I'm a weir - do.
What the hell am I doing
| C | C
Cm
Cm
G
here?
I don't belong here.
I don't belong here.

DAYDREAM BELIEVER

Words and Music by John Stewart

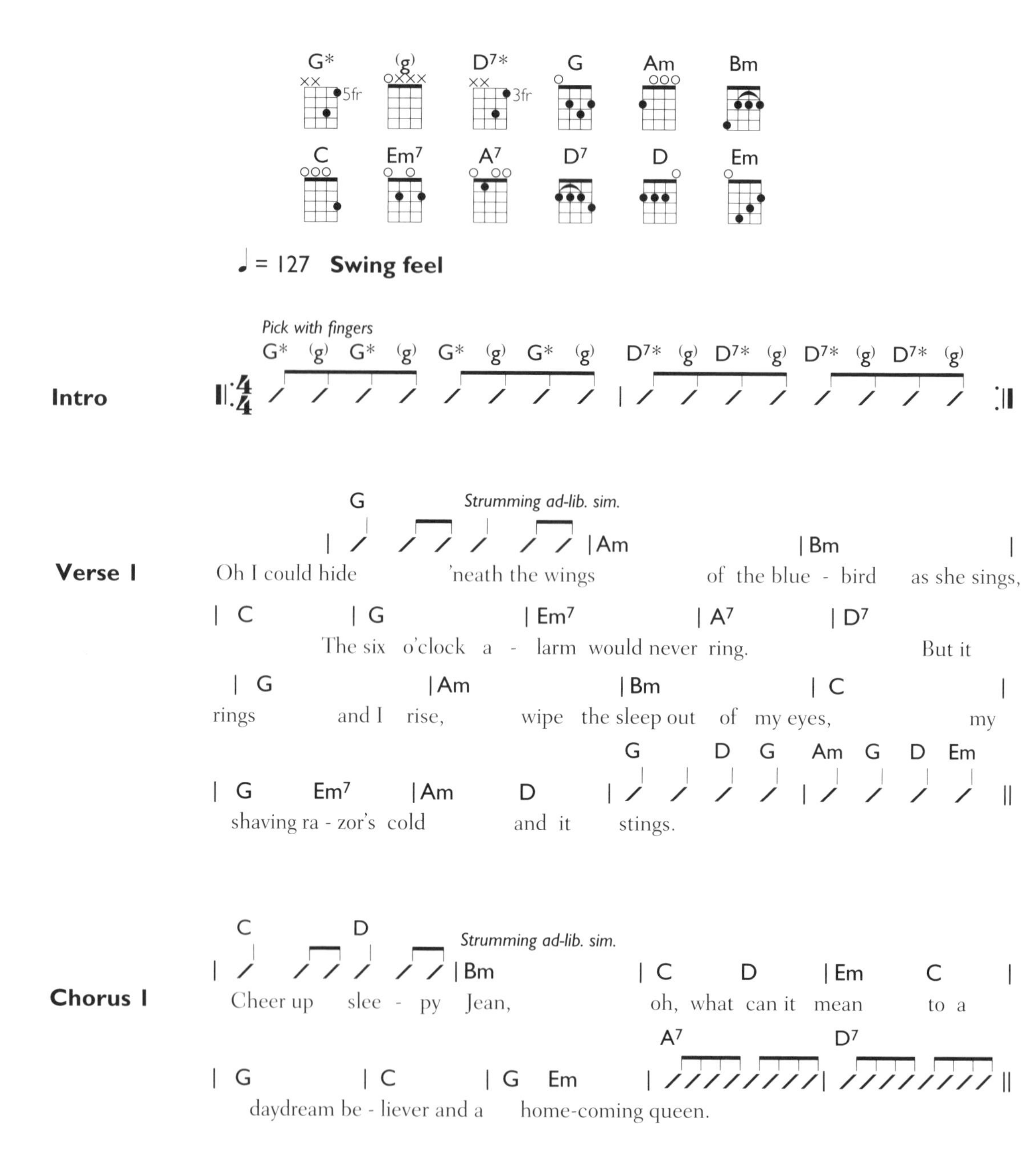
G* (g) D7* G Am Bm
C Em7 A7 D7 D Em
5fr
3fr
♩ = 127 Swing feel
Pick with fingers
G* (g) G* (g) G* (g) G* (g) D7* (g) D7* (g) D7* (g) D7* (g)
Intro
Verse 1
G Strumming ad-lib. sim. Am Bm
Oh I could hide 'neath the wings of the blue - bird as she sings,
C G Em7 A7 D7
The six o'clock a - larm would never ring. But it
G Am Bm C
rings and I rise, wipe the sleep out of my eyes, my
G Em7 Am D G D G Am G D Em
shaving ra - zor's cold and it stings.
Chorus 1
C D Strumming ad-lib. sim. Bm C D Em C
Cheer up slee - py Jean, oh, what can it mean to a
G C G Em A7 D7
daydream be - liever and a home-coming queen.

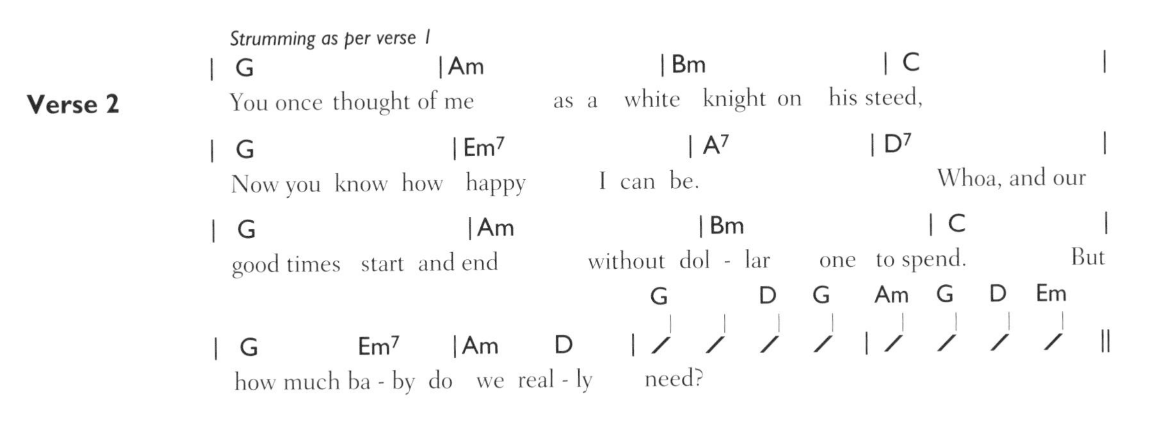
Verse 2
Strumming as per verse 1
| G |Am |Bm | C |
You once thought of me as a white knight on his steed,
| G |Em7 | A7 | D7 |
Now you know how happy I can be. Whoa, and our
| G |Am |Bm | C |
good times start and end without dol - lar one to spend. But
G D G Am G D Em
| G Em7 |Am D | / / / / | / / / / ||
how much ba - by do we real - ly need?

Chorus 2 *As Chorus 1 x 2*

Bridge *As Intro*

Chorus 3 *As Chorus 1 x 2 - fade out*

DON'T GET ME WRONG

Words and Music by Chrissie Hynde

C Am Dm7 F/G G G7

♩ = 103

Intro

| C | | Am | | Dm7 | | F/G | Strumming cont. sim. ||
Don't get me

Verse 1

| C | C | Am | Am |
wrong if I'm looking kind of dazzled, I see
| Dm7 | Dm7 | F/G | F/G |
neon lights whenever you walk by. Don't get me
| C | C | Am | Am |
wrong, if you say "Hello" and I take a ride upon a sea where the
| Dm7 | Dm7 | F/G | F/G ||
mystic moon is playing havoc with the tide. Don't get me

Bridge

As Intro
wrong.

Strumming as per verse 1

Verse 2

| C | C | Am |
Don't get me wrong if I'm acting so distracted,
| Am | Dm7 | Dm7 | F/G |
I'm thinking about the fireworks that go off when you smile.
| F/G | C | C | Am |
Don't get me wrong if I split like light refracted,
| Am | Dm7 | G | C | C ||
I'm only off to wander across a moonlit mile.

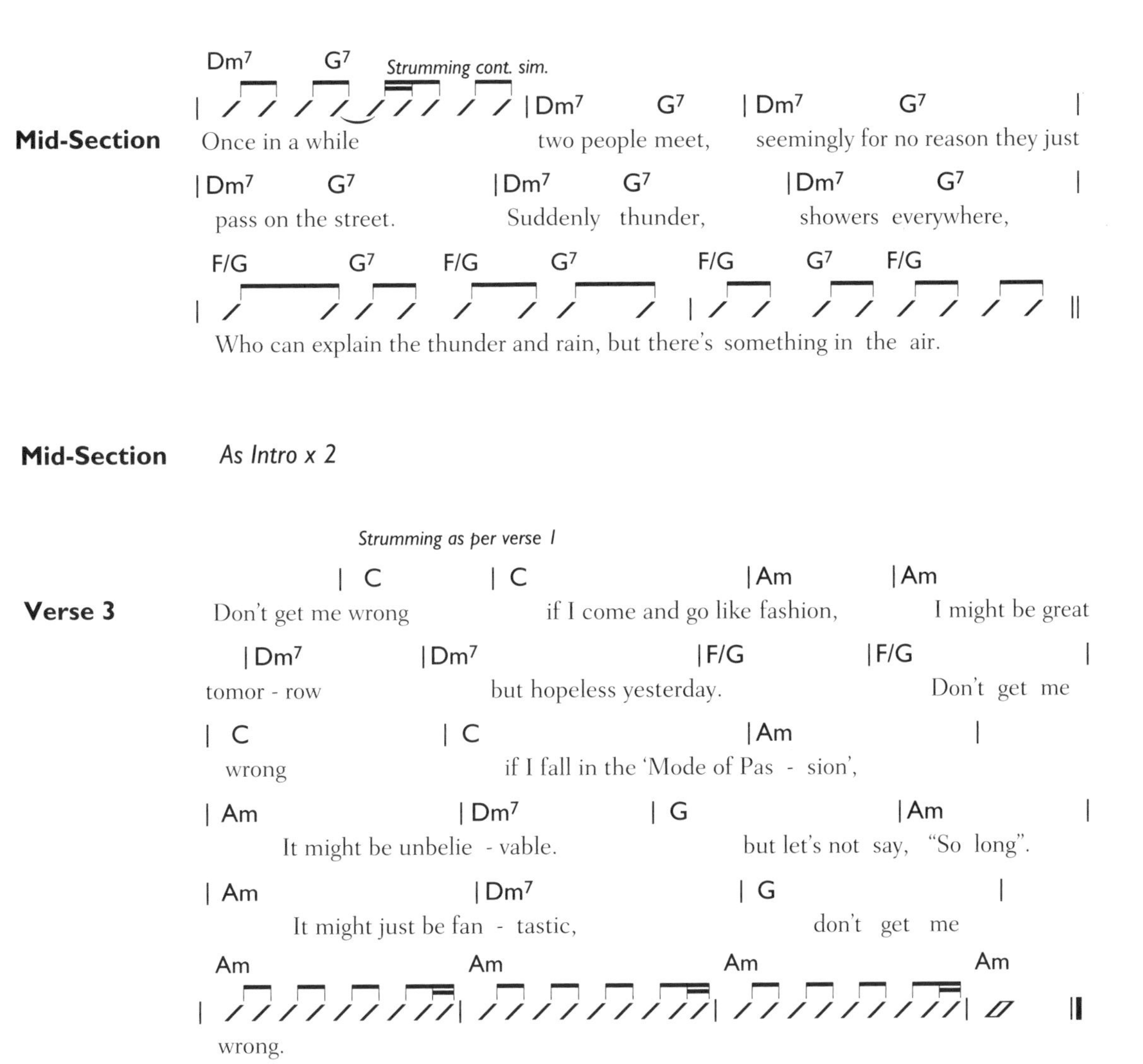
Mid-Section
Dm7 G7 Strumming cont. sim. | Dm7 G7 | Dm7 G7 |
Once in a while two people meet, seemingly for no reason they just
| Dm7 G7 | Dm7 G7 | Dm7 G7 |
pass on the street. Suddenly thunder, showers everywhere,
F/G G7 F/G G7 F/G G7 F/G
Who can explain the thunder and rain, but there's something in the air.
Mid-Section
As Intro x 2
Strumming as per verse 1
Verse 3
| C | C | Am | Am
Don't get me wrong if I come and go like fashion, I might be great
| Dm7 | Dm7 | F/G | F/G |
tomor - row but hopeless yesterday. Don't get me
| C | C | Am |
wrong if I fall in the 'Mode of Pas - sion',
| Am | Dm7 | G | Am |
It might be unbelie - vable. but let's not say, "So long".
| Am | Dm7 | G |
It might just be fan - tastic, don't get me
Am Am Am Am
wrong.

I'M GONNA BE (500 MILES)

Words and Music by Charles Reid and Craig Reid

E A B C♯m F♯m

♩ = 132

Intro

E *Strumming ad-lib. sim.*

| 4/4 / / / / / | / / / / / | / / / / / | / / / / / |

Verse 1

||E | E | A B |
When I wake up, well I know I'm gonna be, I'm gonna be the man who wakes up next to

| E | E | E
you. When I go out, yeah I know I'm gonna be, I'm gonna

| A B | E | E |
be the man who goes along with you. If I get drunk, well I

| E | A B | E |
know I'm gonna be, I'm gonna be the man who gets drunk next to you. And if I

| E | E | A B | E
haver, yeah I know I'm gonna be, I'm gonna be the man who's havering to you.

Chorus 1

E *Strumming ad-lib. sim.*

|| / / / / / / | E | A |
But I would walk five hundred miles, and I would walk five

| B | E | E |
hundred more just to be the man who walked one thousand

| A | B
miles to fall down at your door.

Verse 2

Strumming as per verse 1

|| E | E
When I'm working, yes I know I'm gonna be, I'm gonna

| A B | E | E |
be the man who's working hard for you. And when the money comes in

| E | A B | E |
for the work I do, I'll pass almost every penny on to you. When I

| E | E
come home, *when I come home*, oh I know I'm gonna be, I'm gonna

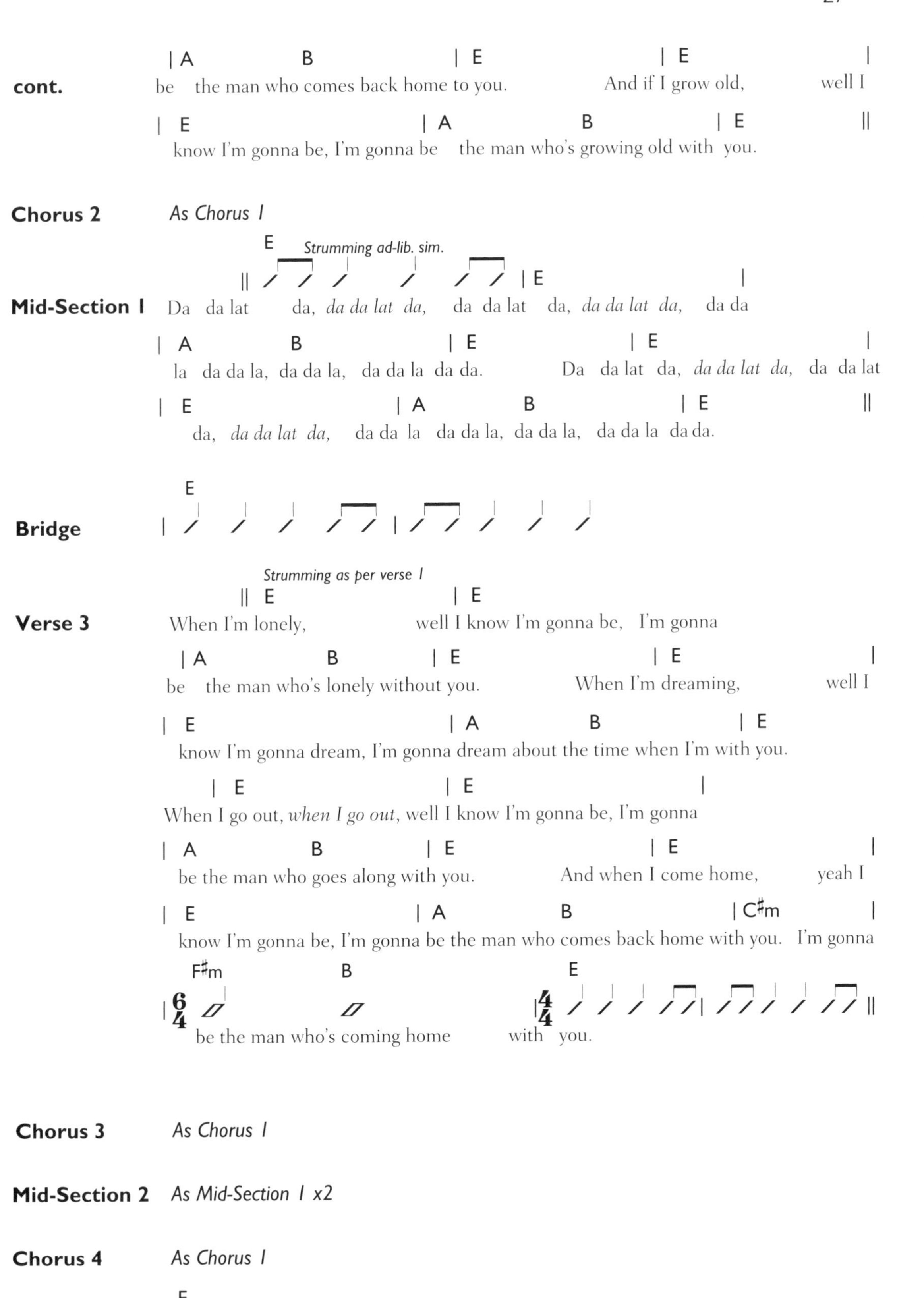
cont.
| A B | E | E |
be the man who comes back home to you. And if I grow old, well I
| E | A B | E ||
know I'm gonna be, I'm gonna be the man who's growing old with you.
Chorus 2
As Chorus 1
E
Strumming ad-lib. sim.
Mid-Section 1
|| | E |
Da da lat da, da da lat da, da da lat da, da da lat da, da da
| A B | E | E |
la da da la, da da la, da da la da da. Da da lat da, da da lat da, da da lat
| E | A B | E ||
da, da da lat da, da da la da da la, da da la, da da la da da.
Bridge
E
Verse 3
Strumming as per verse 1
|| E | E
When I'm lonely, well I know I'm gonna be, I'm gonna
| A B | E | E |
be the man who's lonely without you. When I'm dreaming, well I
| E | A B | E
know I'm gonna dream, I'm gonna dream about the time when I'm with you.
| E | E |
When I go out, when I go out, well I know I'm gonna be, I'm gonna
| A B | E | E |
be the man who goes along with you. And when I come home, yeah I
| E | A B | C♯m |
know I'm gonna be, I'm gonna be the man who comes back home with you. I'm gonna
F♯m B E
6/4 4/4
be the man who's coming home with you.
Chorus 3
As Chorus 1
Mid-Section 2
As Mid-Section 1 x2
Chorus 4
As Chorus 1
E

FLAGPOLE SITTA

Words and Music by Sean Nelson, Jeff J. Lin,
Aaron Huffman and Evan Sult

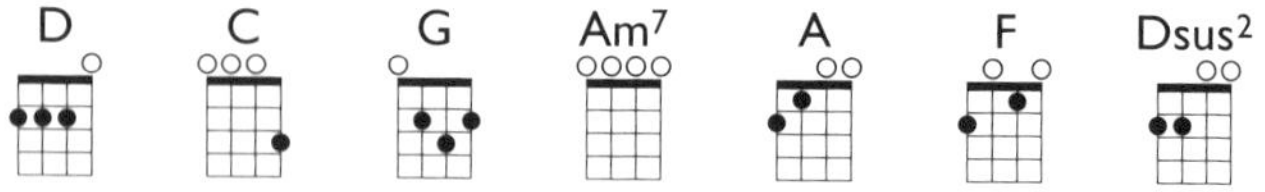

D C G Am7 A F Dsus2

♩ = 146

Intro

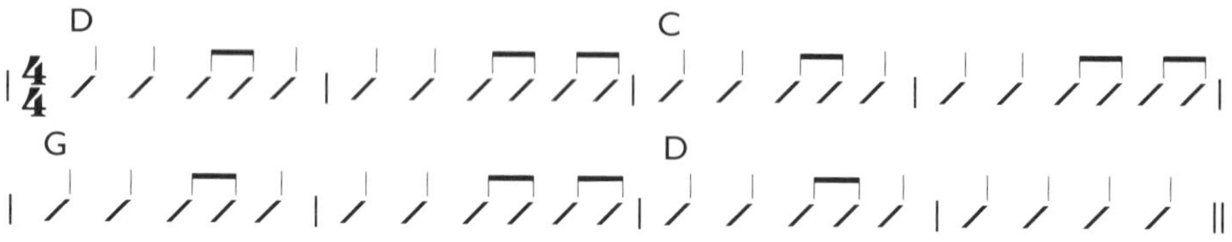

| D / / / / / / | / / / / / / / | C / / / / / / | / / / / / / / |
| G / / / / / / | / / / / / / / | D / / / / / / | / / / / ||

Verse 1

D
| / / / / / / / | D | Am7 |
Strumming ad-lib. sim.
I had visions, I was in them, I was looking into the mir - ror.

| Am7 | C | C |
To see a little bit clear - er the rotton-ness and evil in me.

| D | D | D | D |
Fingertips have memories, mine can't forget the curves of you

| Am7 | Am7 | C |
bo - dy, and when I feel a bit naugh - ty I

| C | D | D / / / / ||
run it up the flagpole and see who salutes, but no-one ever does.

Chorus 1

D
| / / / / / / | D | Am7 | Am7 |
Strumming ad-lib. sim.
I'm not sick, but I'm not well,________ and I'm so

| C | C | D | D |
hot_______ 'cause I'm in hell.________________

Verse 2

Strumming as per verse 1

| D | D | Am7 |
Been around the world and found that only stupid people are breed - ing,

| Am7 | C | C |
The cretins cloning and feed - ing, and I don't even own a T.V.

| D | D | D | D |
Put me in the hospital for nerves and then they had to commit

cont.

```
| Am7                  | Am7                      | C                  |
     me,                   you told them all I was cra - zy,        they
                                                   D
| C                   | D                        | /   /   /   /    ||
  cut off my legs, now I'm  an  am - pu - tee, God damn you.
```

Chorus 2

```
  D        Strumming ad-lib. sim.
| /   /   / / /   | D              | Am7          | Am7          |
              I'm not  sick, but I'm not well,_____      and I'm so
   | C              | C              | D              | D              |
hot______                  'cause I'm in  hell.__________
| D                 | D              |Am7           | Am7          |
              I'm  not  sick, but I'm not well,_____       and it's a
   | C              | C              | D              | D              ||
sin______                  to live so  well.______________________
```

Mid-Section

```
  A        Strumming ad-lib. sim.
| /   /   /   /   | A              | G              | G
          I            wanna publish 'zine's,___      and rage against
    | F             | F              | D              | D
machines.___                   I wanna pierce my tongue, it does - n't hurt, it feels
   | A              | A              | G              | G
fine.___                   The trivial sublime.___            I'd like to turn off
   | F              | F              | G              | G
time___                    and kill my mind.___               You kill my
    | Dsus2         | Dsus2          | Dsus2          | Dsus2          |
mind.______________________________________________________
| Dsus2             | Dsus2          | Dsus2          | Dsus2          |
  Mind.______________________________________________________
```

Verse 3

```
  Strumming as per verse 1
| D                 | D                      | Am7          | Am7
  Paranoia, paranoia,  everybody's coming to get  me,         just say you never
 | C          | C                                  | D            | D         |
met  me,        I'm running underground with the moles       digging holes.
| D                         | D                                  | Am7        |
  Hear the voices in my head, I swear to God it sounds like they're sno - ring,
| Am7                               | C                       | C
  But if you're bored then you're bo - ring,                  the agony  and  the
```

| D | D ||

cont. i - ro - ny, they're kil - ling me, oh.

Chorus 3 *As Chorus 2*

Outro

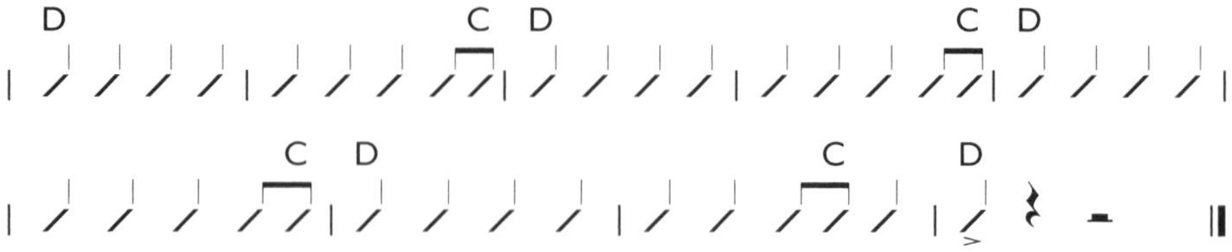

D C D C D

| / / / / | / / / / / | / / / / | / / / / / | / / / / |

C D C D

| / / / / / | / / / / | / / / / / | / 𝄽 𝄼 ||

FLUORESCENT ADOLESCENT

Words by Alex Turner and Johanna Bennett

Music by Arctic Monkeys

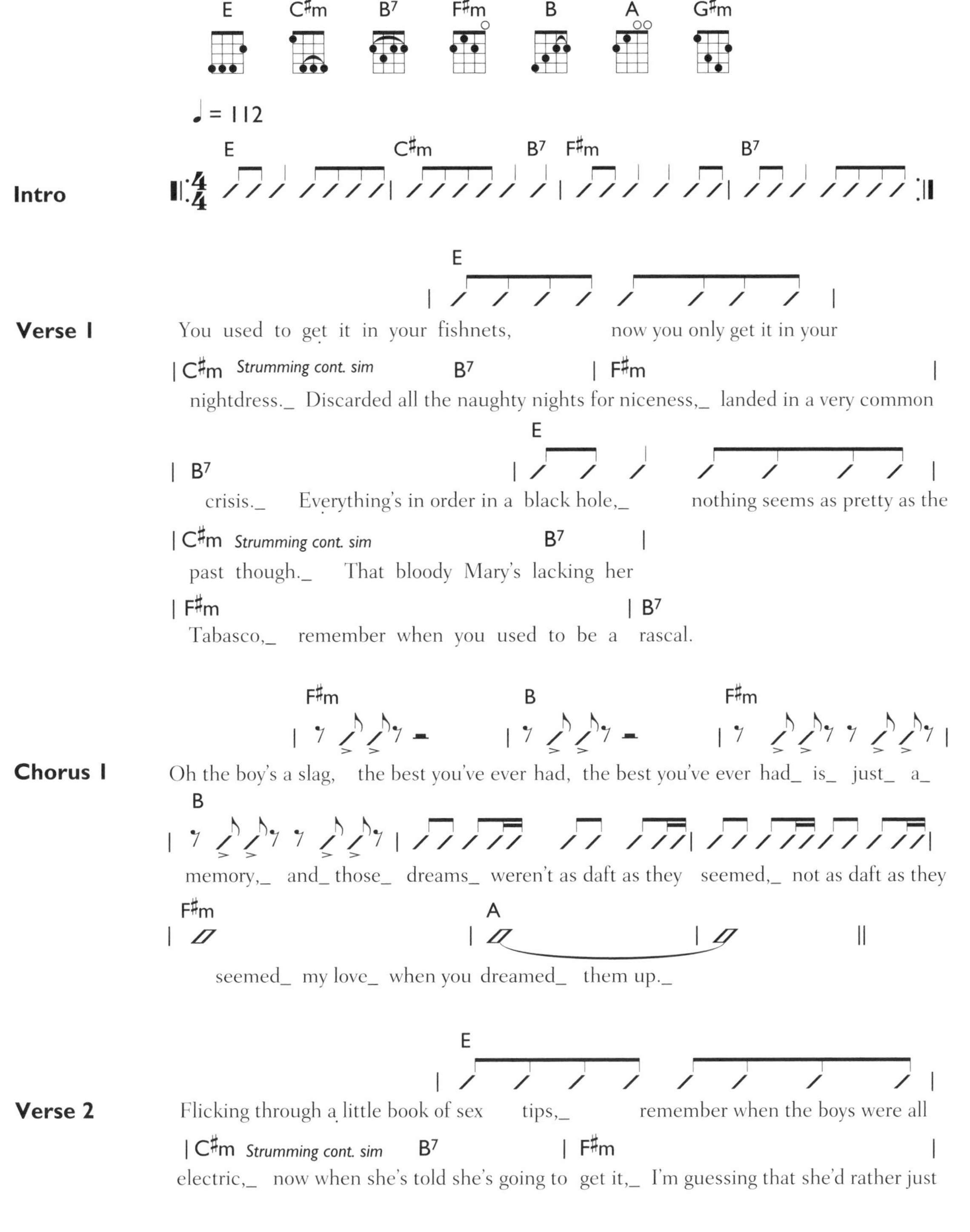
E C♯m B7 F♯m B A G♯m
♩ = 112
Intro
E C♯m B7 F♯m B7
Verse 1
E
You used to get it in your fishnets, now you only get it in your
C♯m Strumming cont. sim B7 F♯m
nightdress._ Discarded all the naughty nights for niceness,_ landed in a very common
B7 E
crisis._ Everything's in order in a black hole,_ nothing seems as pretty as the
C♯m Strumming cont. sim B7
past though._ That bloody Mary's lacking her
F♯m B7
Tabasco,_ remember when you used to be a rascal.
Chorus 1
F♯m B F♯m
Oh the boy's a slag, the best you've ever had, the best you've ever had_ is_ just_ a_
B
memory,_ and_ those_ dreams_ weren't as daft as they seemed,_ not as daft as they
F♯m A
seemed_ my love_ when you dreamed_ them up._
Verse 2
E
Flicking through a little book of sex tips,_ remember when the boys were all
C♯m Strumming cont. sim B7 F♯m
electric,_ now when she's told she's going to get it,_ I'm guessing that she'd rather just

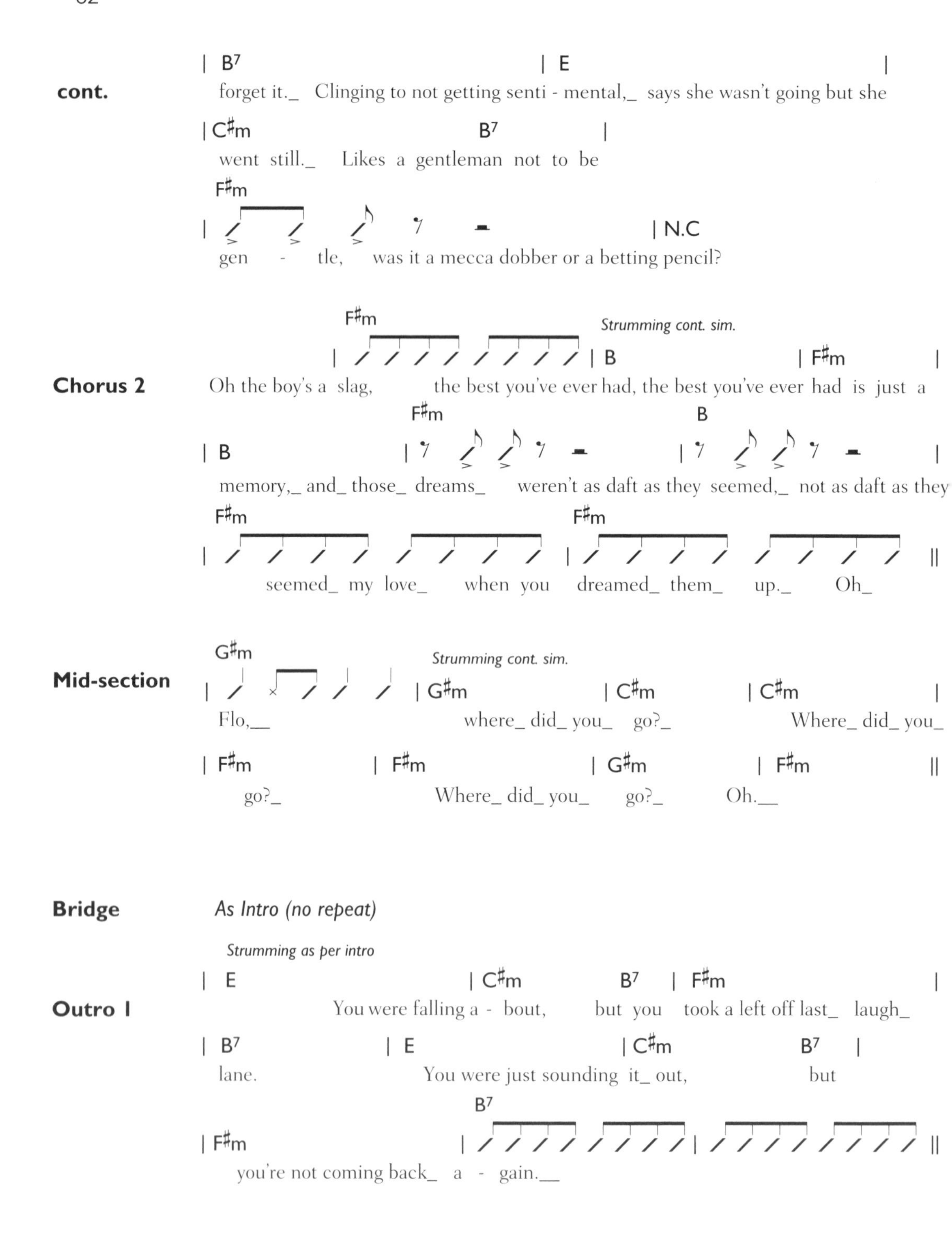
cont.
| B7 | E |
forget it._ Clinging to not getting senti - mental,_ says she wasn't going but she
| C♯m B7 |
went still._ Likes a gentleman not to be
F♯m
| N.C
gen - tle, was it a mecca dobber or a betting pencil?
Chorus 2
F♯m
Strumming cont. sim.
| B | F♯m |
Oh the boy's a slag, the best you've ever had, the best you've ever had is just a
F♯m B
| B
memory,_ and_ those_ dreams_ weren't as daft as they seemed,_ not as daft as they
F♯m F♯m
seemed_ my love_ when you dreamed_ them_ up._ Oh_
Mid-section
G♯m
Strumming cont. sim.
| G♯m | C♯m | C♯m |
Flo,__ where_ did_ you_ go?_ Where_ did_ you_
| F♯m | F♯m | G♯m | F♯m ||
go?_ Where_ did_ you_ go?_ Oh.__
Bridge
As Intro (no repeat)
Outro 1
Strumming as per intro
| E | C♯m B7 | F♯m |
You were falling a - bout, but you took a left off last_ laugh_
| B7 | E | C♯m B7 |
lane. You were just sounding it_ out, but
B7
| F♯m ||
you're not coming back_ a - gain.__

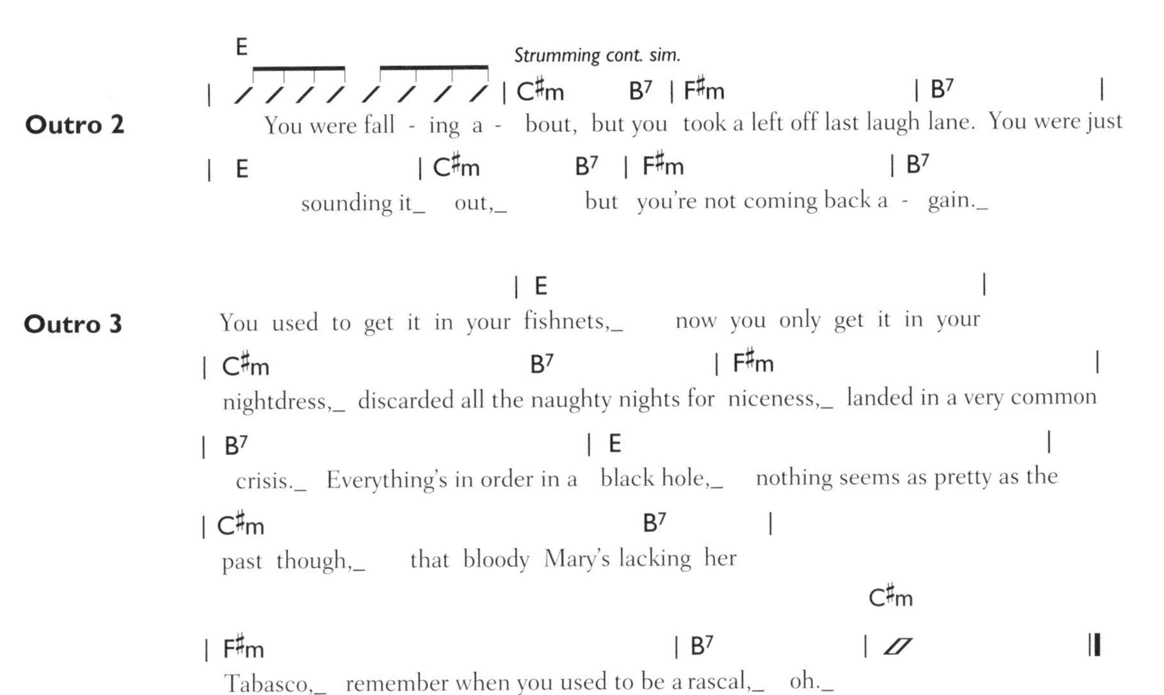
E
Strumming cont. sim.
C♯m B7 F♯m B7
Outro 2
You were fall - ing a - bout, but you took a left off last laugh lane. You were just
E C♯m B7 F♯m B7
sounding it_ out,_ but you're not coming back a - gain._
E
Outro 3
You used to get it in your fishnets,_ now you only get it in your
C♯m B7 F♯m
nightdress,_ discarded all the naughty nights for niceness,_ landed in a very common
B7 E
crisis._ Everything's in order in a black hole,_ nothing seems as pretty as the
C♯m B7
past though,_ that bloody Mary's lacking her

C♯m

| F♯m | B7 | ▱ ||

Tabasco,_ remember when you used to be a rascal,_ oh._

FOUNDATIONS

Words and Music by Paul Epworth and Kate Nash

C F G Am

♩ = 169

Intro

```
    C      F      C      F      C      F      G      F
| 4/4 ⁄⁄ | ⁄⁄  | ⁄⁄  | ⁄⁄  | ⁄⁄  | ⁄⁄  | ⁄⁄  | ⁄⁄  ||
```

Verse 1

Strumming cont. sim. throughout

```
| C                    | F                 | C                      |
    Thursday night,      everything's fine,   except you've got that
| F                       | C                   | F                   |
  look in your eye when I'm telling a story and you find it boring, you're
| G                        | F                    | C                  | F
  thinking of something to   say.   You'll go along with it  then  drop   it,    and
  | C          | F            | C              | F          | G          |
hu - miliate   me          in front  of our   friends.
| F              | C                  | F                        |
                 Then I'll use that voice that you find annoying and say
| C                              | F                              | C                   |
  something like "Yeah, intelligent input darlin', why don't you just have another beer then?"
| F          | G          | F          | C                | F
                                   Then you'll call me a bitch and everyone we're with
   | C                   | F                    | C                |
will     be   embarrassed, and  I     won't   give   a     s**t.
| F              | G              | F
```

Chorus 1

```
  | F           | F              | Am                | Am                |
My  fingertips are hold - ing  onto  the cracks  in our  founda - tions,  and I
| G              | G             | F            | F                |
  know that I should let  go          but I  can't.                 And
| Am                | Am               | G                           | G                |
  every time we fight,  I know it's not right,  every time that you're up - set and I smile,
| F                   | F                  | G                    | G                ||
    I  know   I should for  -  get,      but    I          can't.
```

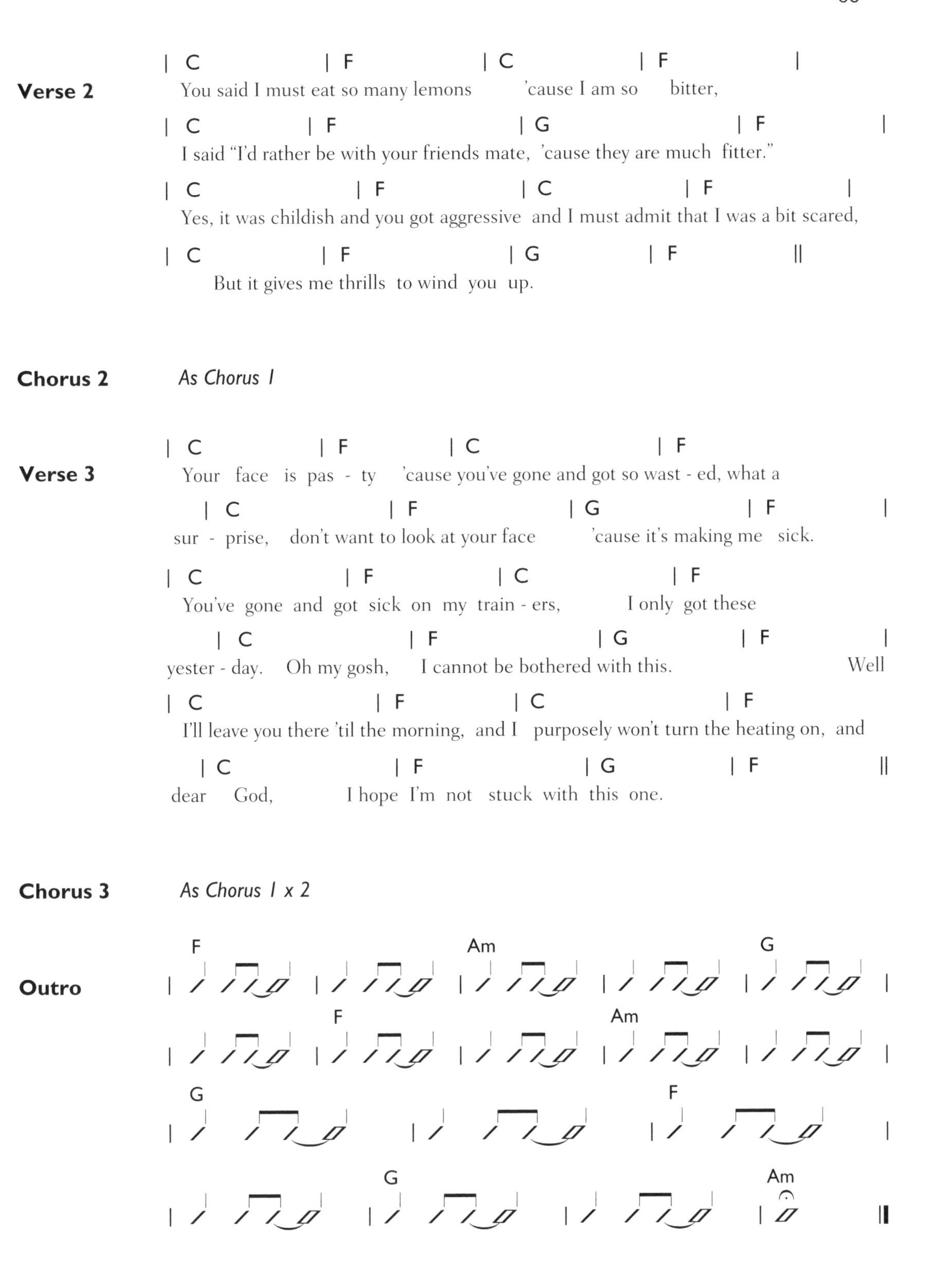
Verse 2
| C | F | C | F |
You said I must eat so many lemons 'cause I am so bitter,
| C | F | G | F |
I said "I'd rather be with your friends mate, 'cause they are much fitter."
| C | F | C | F |
Yes, it was childish and you got aggressive and I must admit that I was a bit scared,
| C | F | G | F ||
But it gives me thrills to wind you up.
Chorus 2
As Chorus 1
Verse 3
| C | F | C | F
Your face is pas - ty 'cause you've gone and got so wast - ed, what a
| C | F | G | F |
sur - prise, don't want to look at your face 'cause it's making me sick.
| C | F | C | F
You've gone and got sick on my train - ers, I only got these
| C | F | G | F |
yester - day. Oh my gosh, I cannot be bothered with this. Well
| C | F | C | F
I'll leave you there 'til the morning, and I purposely won't turn the heating on, and
| C | F | G | F ||
dear God, I hope I'm not stuck with this one.
Chorus 3
As Chorus 1 x 2
Outro
F
Am
G
F
Am
G
F
G
Am

GO YOUR OWN WAY

Words and Music by Lindsey Buckingham

F C B♭ Dm

♩ = 136

Intro

| 4/4 F / / / / / / / / | / / / / / / / / || *Strumming ad-lib. sim.*

Verse 1

| F | F | F | C |
Loving you isn't the right thing to do,
| B♭ | B♭ | B♭ | F |
How can I ever change things that I feel?
| F | F | F | C |
If I could, maybe I'd give you my world,
| B♭ | B♭ | B♭ | F ||
How can I when you won't take it from me?

Chorus 1

| Dm / / / / / / / / | B♭ | C | C | *Strumming cont. sim.*
You can go your own way, go your own way.
| Dm | B♭ | C | C |
You can call it a - no - ther lonely day.
| Dm | B♭ | C | C ||
You can go your own way, go your own way.

Verse 2

Strumming as per verse 1

| F | F | F | C |
Tell me why everything turned around?
| B♭ | B♭ | B♭ | F |
Packing up, shacking up's all you wanna do.
| F | F | F | C |
If I could, baby, I'd give you my world,
| B♭ | B♭ | B♭ | F ||
Open up everything's wait - ing for you.

Chorus 2 *As Chorus 1*

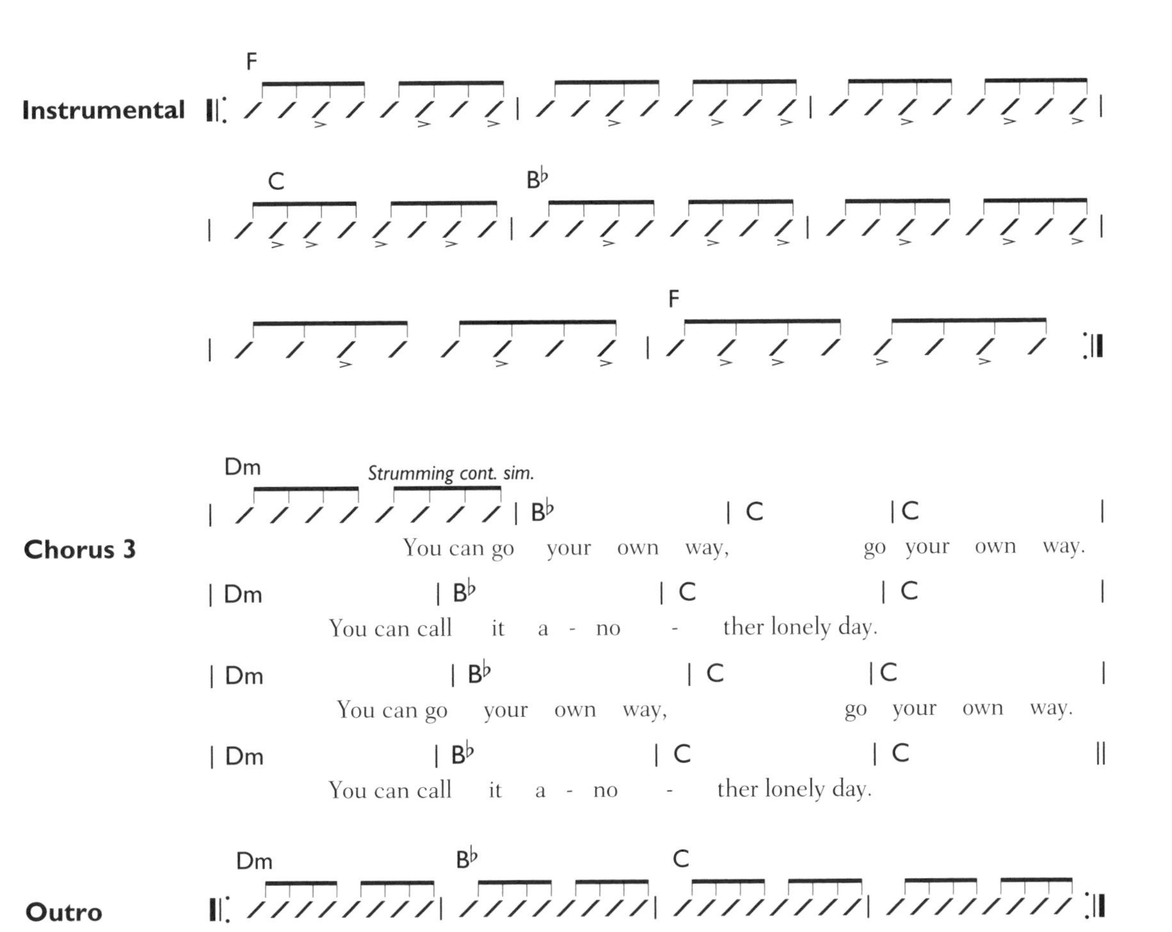
Instrumental
F
C
B♭
F
Chorus 3
Dm
Strumming cont. sim.
B♭
C
C
You can go your own way, go your own way.
Dm
B♭
C
C
You can call it a - no - ther lonely day.
Dm
B♭
C
C
You can go your own way, go your own way.
Dm
B♭
C
C
You can call it a - no - ther lonely day.
Outro
Dm
B♭
C

HAPPY TOGETHER

Words and Music by Garry Bonner and Alan Gordon

Fm Eb Db C F Cm Ab 3fr 3fr

♩ = 118 **Swing feel**

Intro

Fm
| 4/4 / / / // | / / / // | / / / // | / / / // || *Strumming cont. sim.*

Verse 1

| Fm | Fm | Eb |
Imagine me and you, I do, I think about you every night, it's only

| Eb | Db | Db
right to think about the girl you love, and hold her tight, so happy

| C | C | Fm | Fm
to - gether. If I should call you up, invest a dime, and you say you

| Eb | Eb | Db |
be - long to me, and ease my mind, imagine how the world could be, so very

| Db | C | C /// /// /// /// ||
fine, so happy together.

Chorus 1

F *Strumming cont. sim.*
| / / / // | Cm | F | Ab |
I can't see me loving nobody but you for all my life,

| F | Cm | F | Ab ||
When you're with me, baby the skies will be blue for all my life.

Verse 2

Fm *Strumming cont. sim.*
| / / / // | Fm | Eb |
Me and you and you and me, no matter how they tossed the dice, it had to

| Eb | Db | Db
be, the only one for me is you, and you for me, so happy

| C | C /// /// /// /// ||
to - gether.

Chorus 2 *As Chorus 1*

Verse 3 *As Verse 2*

Chorus 3

F *Strumming cont. sim.*
| / / / / / | Cm | F | A♭ |
Ba ba ba ba ba ba ba ba ba ba ba ba ba ba ba.______

| F | Cm | F |
Ba ba ba ba ba ba ba ba ba ba ba ba ba ba

Cm
| 3 3 3 3 | 3 3 3 3 ||
ba.______

Verse 4

Fm *Strumming cont. sim.*
| / / / / / | Fm | E♭ |
Me and you and you and me, no matter how they tossed the dice, it had to

| E♭ | D♭ | D♭
be, the only one for me is you, and you for me, so happy

| C | Fm | C | Fm | C |
to - gether... So happy together... How is the weather?

| Fm | C | Fm | C | Fm
So happy together... We're happy together... So happy

| C | Fm | C | Fm | C |
to - gether... So happy together... So happy together...

| Fm | C | F (fermata) ||
So happy together.

HIT THE ROAD JACK

Words and Music by Percy Mayfield

Am Am7 F7 E7 D9

♩ = 177

Intro

| Am Am7 | F7 E7 | Am Am7 | F7 E7 :||

Strumming cont. sim. throughout

Chorus 1

| Am Am7 | F7 E7 | Am Am7 | F7 E7
Hit the road, Jack, and don't you come back no more, no more, no more, no more,

| Am Am7 | F7 E7 | Am Am7 | F7 E7
Hit the road, Jack, and don't you come back no more. *What you say?*

| Am Am7 | F7 E7 | Am Am7 | F7 E7
Hit the road, Jack, and don't you come back no more, no more, no more, no more,

| Am Am7 | F7 E7 | Am Am7 | F7 E7
Hit the road, Jack, and don't you come back no more.

Verse 1

| Am Am7 | F7 E7 | Am Am7 |
Woah woman, oh woman, don't treat me so mean, you're the meanest old woman that I've

| F7 E7 | Am Am7 | F7 E7
ever seen, I guess if you said so,

| Am Am7 | F7 E7 ||
I'd have to pack my things and go. *That's right!*

Chorus 2 *As Chorus 1*

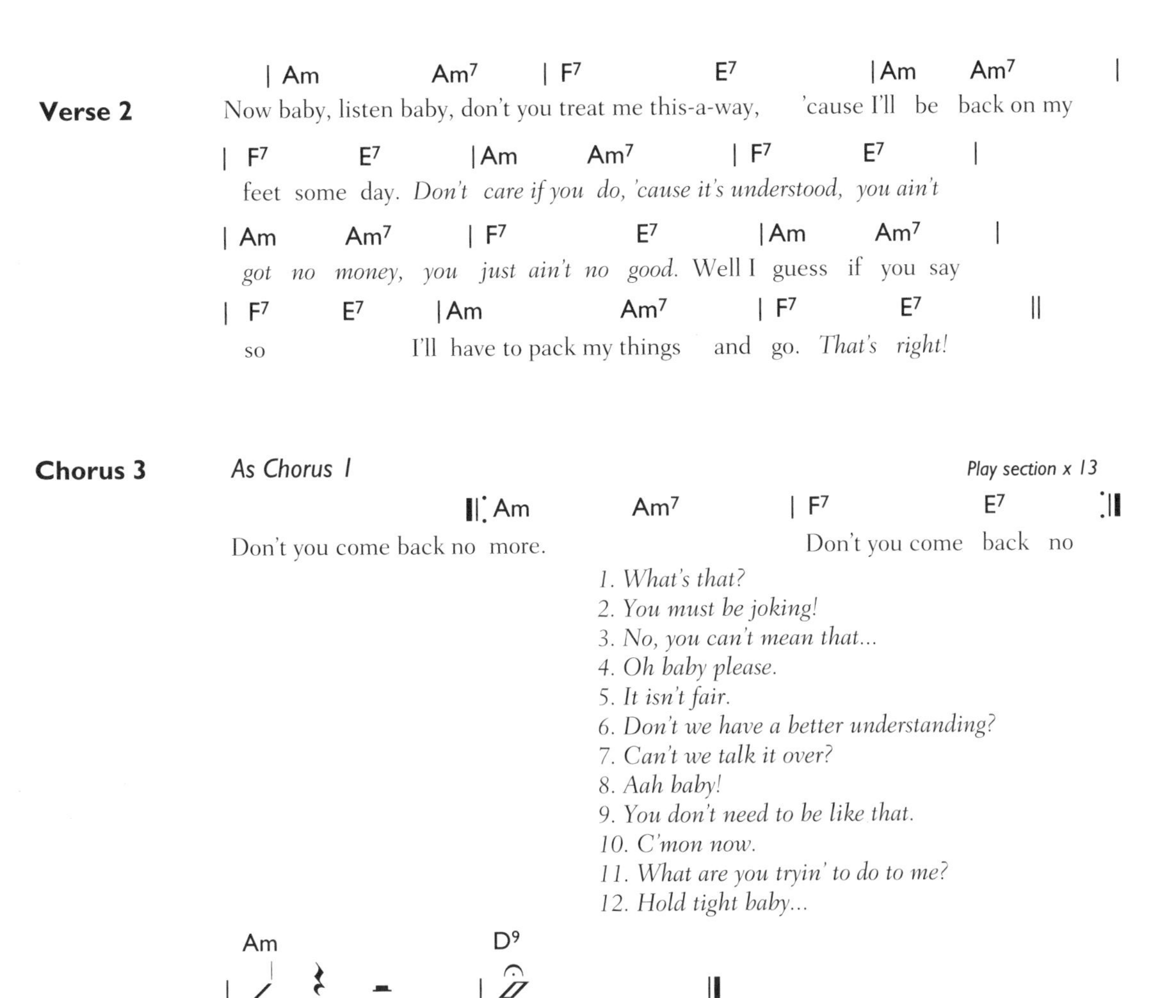
Verse 2
| Am Am7 | F7 E7 | Am Am7 |
Now baby, listen baby, don't you treat me this-a-way, 'cause I'll be back on my
| F7 E7 | Am Am7 | F7 E7 |
feet some day. Don't care if you do, 'cause it's understood, you ain't
| Am Am7 | F7 E7 | Am Am7 |
got no money, you just ain't no good. Well I guess if you say
| F7 E7 | Am Am7 | F7 E7 ||
so I'll have to pack my things and go. That's right!
Chorus 3
As Chorus 1
Play section x 13
||: Am Am7 | F7 E7 :||
Don't you come back no more. Don't you come back no
1. What's that?
2. You must be joking!
3. No, you can't mean that...
4. Oh baby please.
5. It isn't fair.
6. Don't we have a better understanding?
7. Can't we talk it over?
8. Aah baby!
9. You don't need to be like that.
10. C'mon now.
11. What are you tryin' to do to me?
12. Hold tight baby...
Am D9
more.

HOTEL CALIFORNIA

Words and Music by Don Henley, Glenn Frey and Don Helder

Bm F♯ A E G D Em

♩ = 74

Intro

Bm	F♯	A
E	G	D
Em	F♯ :	

Strumming ad-lib sim. throughout

Verse 1

| Bm | F♯ |
On a dark desert highway, cool wind in my hair,

| A | E | G |
Warm smell of colitas rising up through the air. Up ahead in the distance

| D | Em |
I saw a shimmering light, my head grew heavy and my sight grew dim,

| F♯ | Bm | F♯ |
I had to stop for the night. There she stood in the doorway, I heard the mission bell,

| A | E |
Then I was thinking to myself, this could be Heaven or this could be Hell.

| G | D |
Then she lit up a candle and she showed me the way,

| Em | F♯ ||
There were voices down the corridor, I thought I heard them say,

Chorus 1

| G | D | F♯ |
"Welcome to the Hotel Califor - nia, such a lovely place, *such a lovely place,*

| Bm | G | D |
Such a lovely face. Plenty of room at the Hotel Califor - nia,

| Em | F♯ ||
Any time of year, *any time of year,* you can find it here."

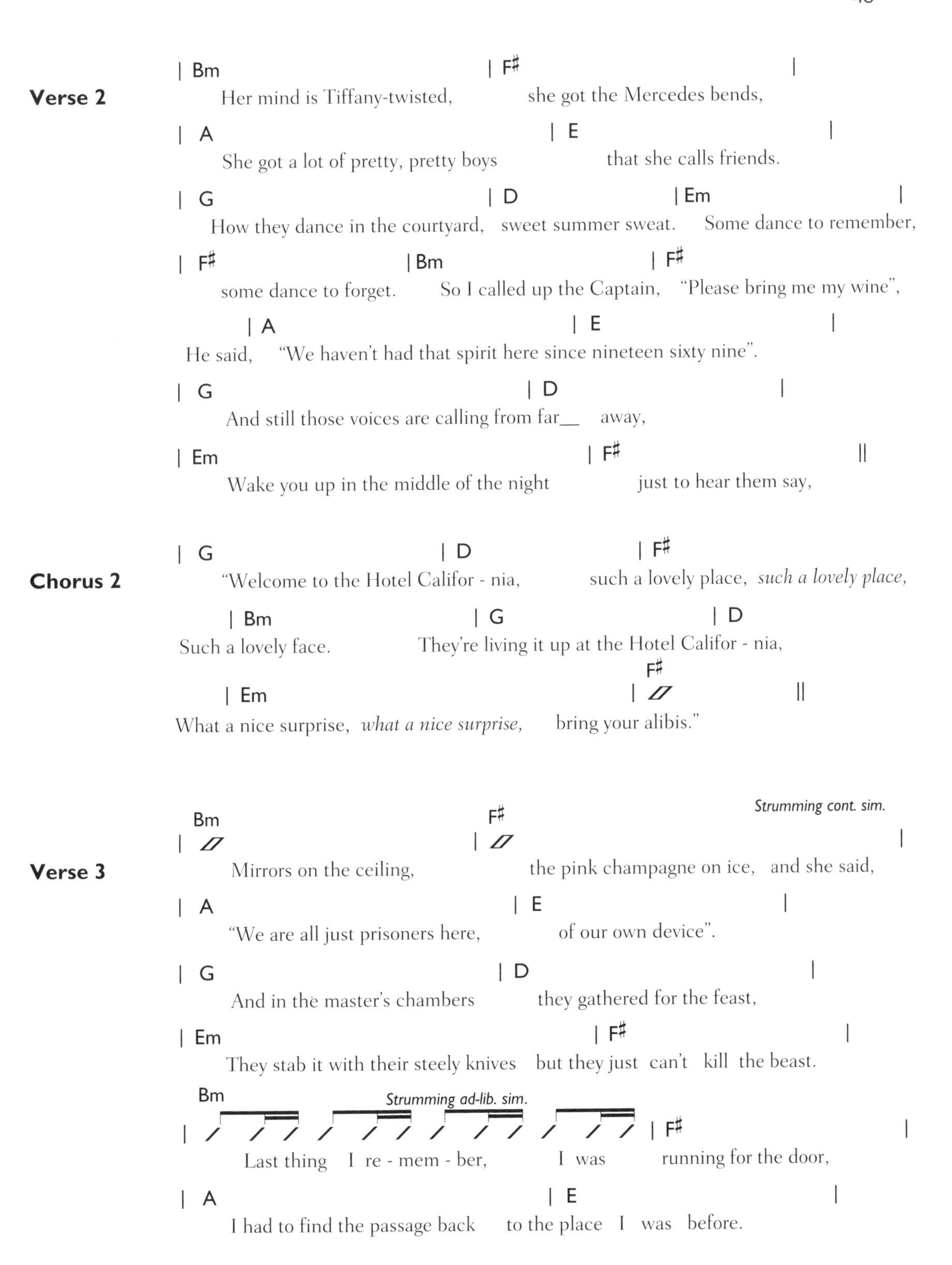
Verse 2
| Bm | F♯ |
Her mind is Tiffany-twisted, she got the Mercedes bends,
| A | E |
She got a lot of pretty, pretty boys that she calls friends.
| G | D | Em |
How they dance in the courtyard, sweet summer sweat. Some dance to remember,
| F♯ | Bm | F♯
some dance to forget. So I called up the Captain, "Please bring me my wine",
| A | E |
He said, "We haven't had that spirit here since nineteen sixty nine".
| G | D |
And still those voices are calling from far__ away,
| Em | F♯ ||
Wake you up in the middle of the night just to hear them say,
Chorus 2
| G | D | F♯
"Welcome to the Hotel Califor - nia, such a lovely place, such a lovely place,
| Bm | G | D
Such a lovely face. They're living it up at the Hotel Califor - nia,
| Em | F♯ ||
What a nice surprise, what a nice surprise, bring your alibis."
Verse 3
Strumming cont. sim.
| Bm | F♯ |
Mirrors on the ceiling, the pink champagne on ice, and she said,
| A | E |
"We are all just prisoners here, of our own device".
| G | D |
And in the master's chambers they gathered for the feast,
| Em | F♯ |
They stab it with their steely knives but they just can't kill the beast.
Bm Strumming ad-lib. sim.
| | F♯ |
Last thing I re - mem - ber, I was running for the door,
| A | E |
I had to find the passage back to the place I was before.

cont.

| G | D |
"Relax", said the night man, "We are programmed to receive.

| Em | F♯ ||
You can check out any time you like but you can never leave."

Outro

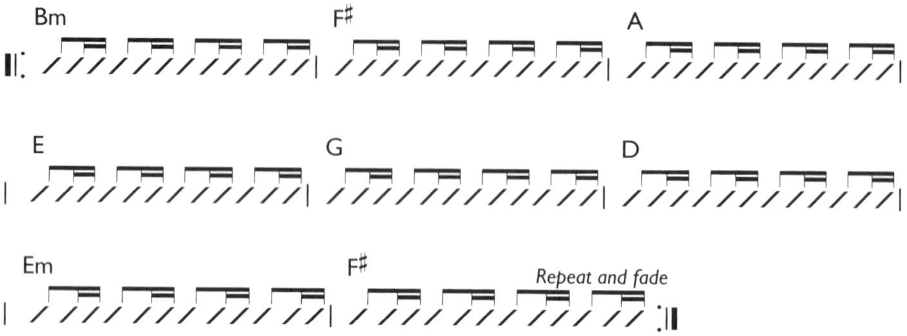

‖: Bm | F♯ | A |

| E | G | D |

| Em | F♯ :‖

Repeat and fade

HOUSE OF FUN

Words and Music by Michael Barson and Lee Thompson

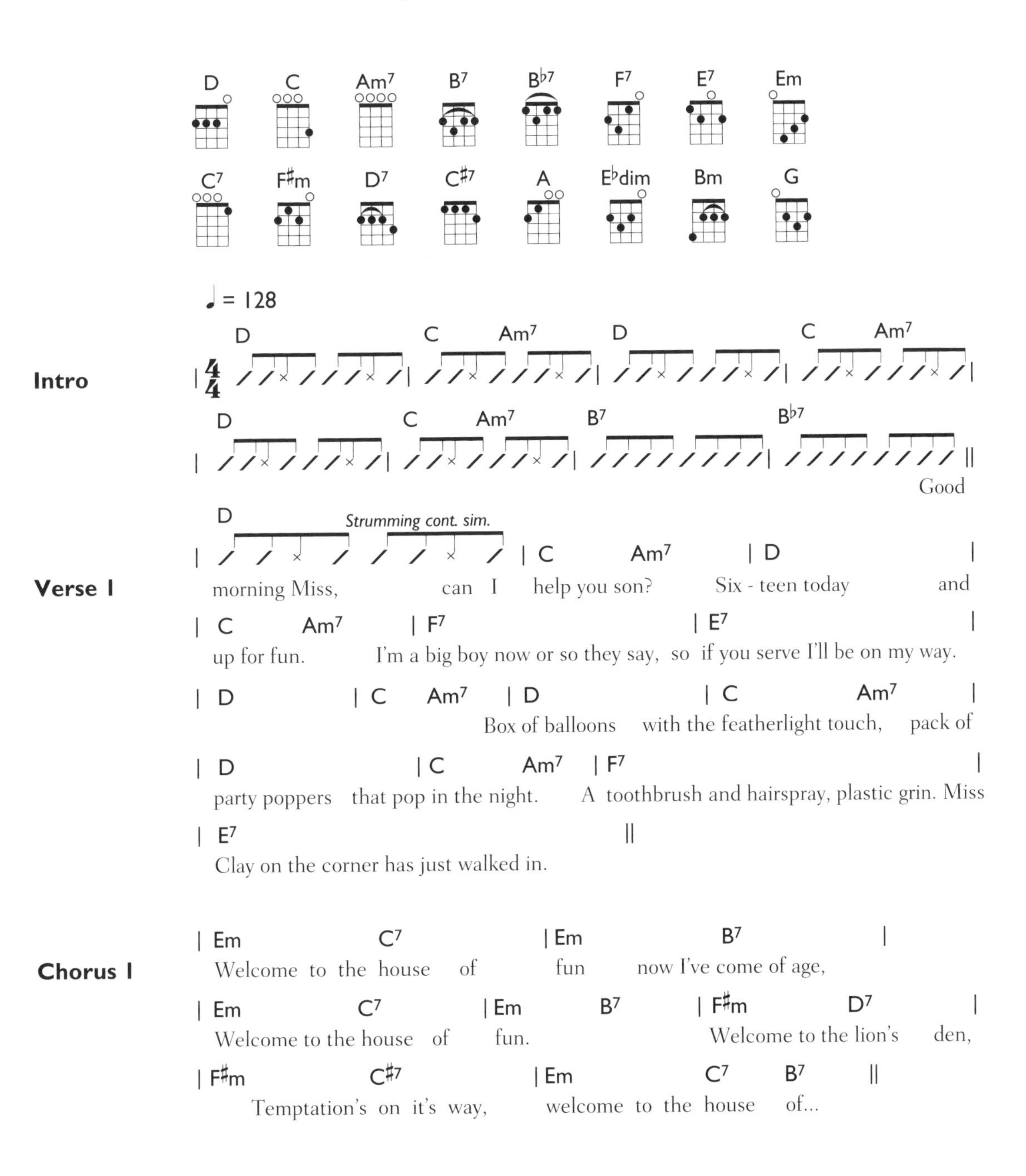
D C Am7 B7 Bb7 F7 E7 Em
C7 F#m D7 C#7 A Ebdim Bm G
♩ = 128
Intro
D C Am7 D C Am7
D C Am7 B7 Bb7
Good
Strumming cont. sim.
Verse 1
D | C Am7 | D |
morning Miss, can I help you son? Six - teen today and
| C Am7 | F7 | E7 |
up for fun. I'm a big boy now or so they say, so if you serve I'll be on my way.
| D | C Am7 | D | C Am7 |
Box of balloons with the featherlight touch, pack of
| D | C Am7 | F7 |
party poppers that pop in the night. A toothbrush and hairspray, plastic grin. Miss
| E7 ||
Clay on the corner has just walked in.
Chorus 1
| Em C7 | Em B7 |
Welcome to the house of fun now I've come of age,
| Em C7 | Em B7 | F#m D7 |
Welcome to the house of fun. Welcome to the lion's den,
| F#m C#7 | Em C7 B7 ||
Temptation's on it's way, welcome to the house of...

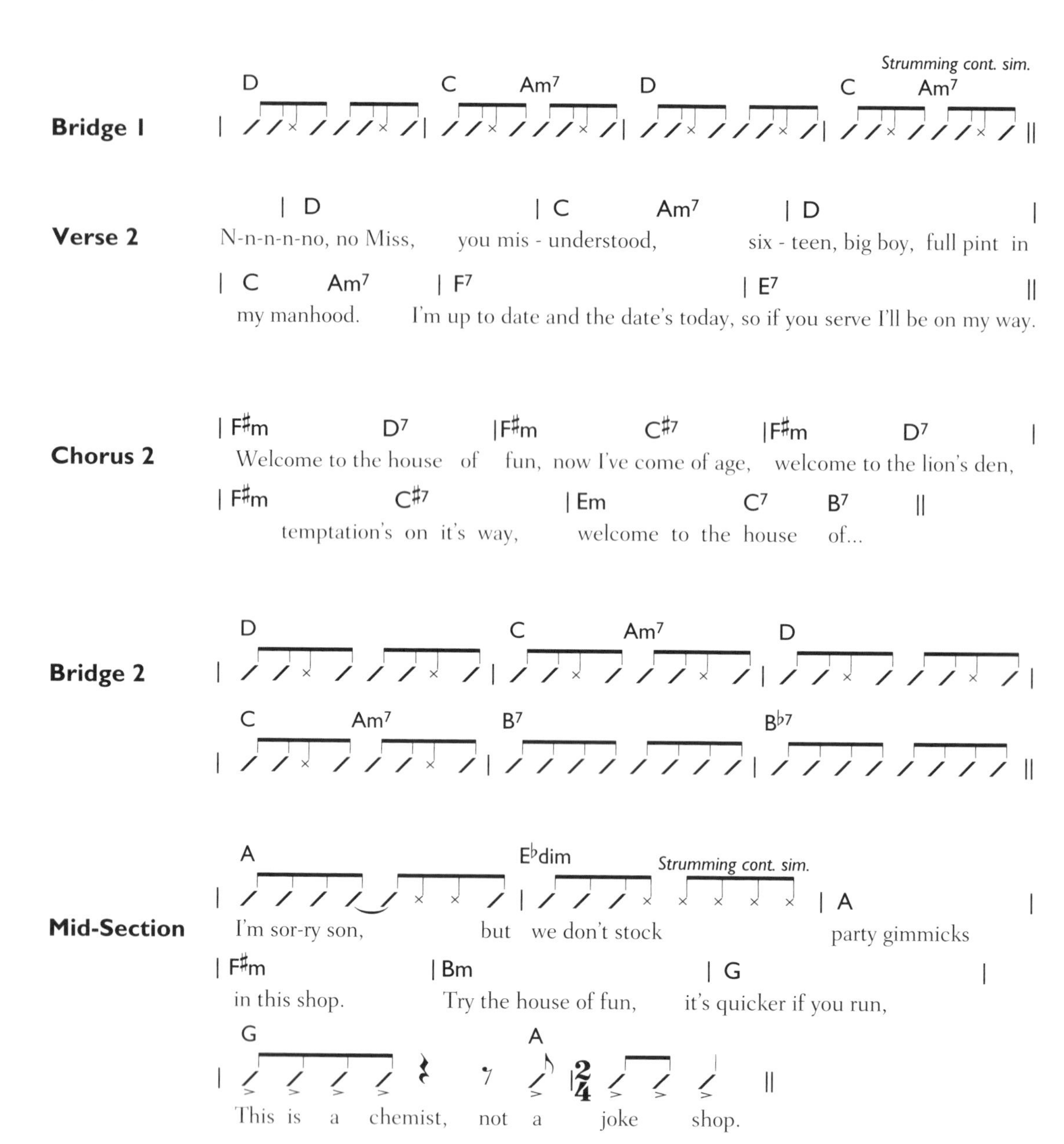
Strumming cont. sim.
Bridge 1
D
C Am7
D
C Am7
Verse 2
| D | C Am7 | D |
N-n-n-n-no, no Miss, you mis - understood, six - teen, big boy, full pint in
| C Am7 | F7 | E7 ||
my manhood. I'm up to date and the date's today, so if you serve I'll be on my way.
Chorus 2
| F#m D7 | F#m C#7 | F#m D7 |
Welcome to the house of fun, now I've come of age, welcome to the lion's den,
| F#m C#7 | Em C7 B7 ||
temptation's on it's way, welcome to the house of...
Bridge 2
D
C Am7
D
C Am7
B7
Bb7
Mid-Section
A
Ebdim
Strumming cont. sim.
| A |
I'm sor-ry son, but we don't stock party gimmicks
| F#m | Bm | G |
in this shop. Try the house of fun, it's quicker if you run,
G
A
2/4
This is a chemist, not a joke shop.

Strumming as per verse 1 - cont. sim.

Verse 3

| 4/4 D | C Am7 | D |
Party hats, simple enough, clear, compre - hend, savvy, understand,

| C Am7 | D | C Am7 |
do you hear? A pack of party hats with the coloured tips.

| D | C Am7 |
Too late, Gordon's heard gossip. Well

| F7 | E7 ||
hello Joe, hello Miss Clay, many happy returns from the day.

Outro

||: Em C7 | Em B7 |
Welcome to the house of fun, now I've come of age,

| Em C7 | Em B7 | F♯m D7 |
Welcome to the house of fun. Welcome to the lion's den,

Fade on repeat

| F♯m C♯7 | F♯m D7 | F♯m C♯7 :||
temptation's on it's way. Welcome to the house of fun.

I WANNA BE LIKE YOU
(FROM 'THE JUNGLE BOOK')

Words and Music by Richard Sherman and Robert Sherman

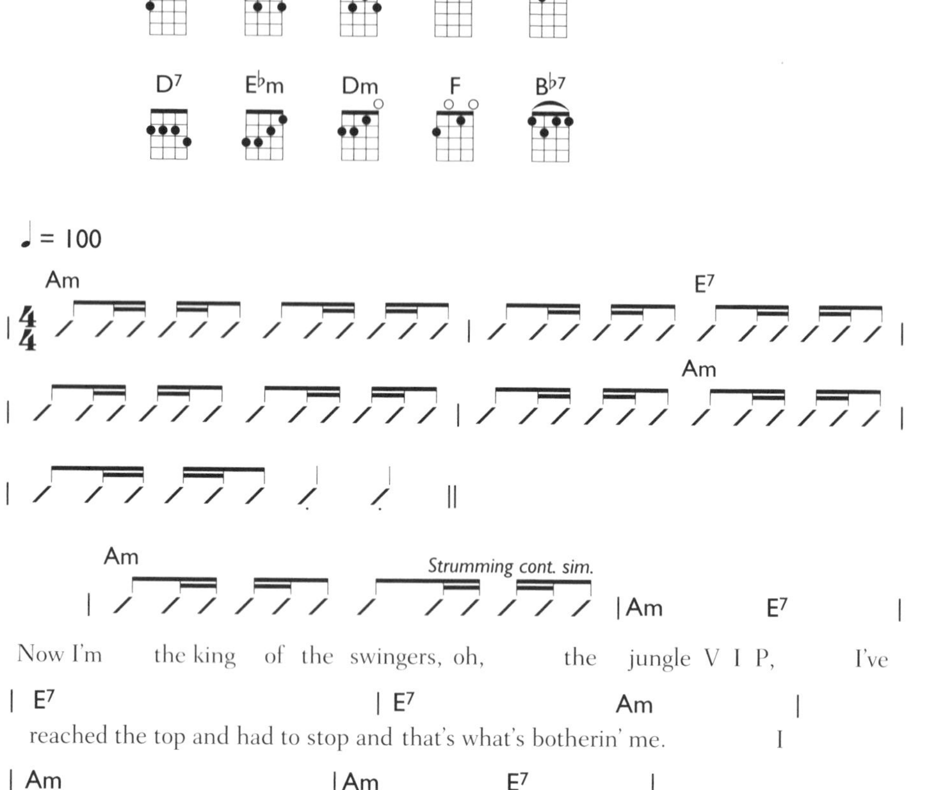

Am E7 G7 C6 A7
D7 E♭m Dm F B♭7
♩ = 100
Intro
Am
E7
Am
Verse 1
Am
Strumming cont. sim.
Am E7
Now I'm the king of the swingers, oh, the jungle V I P, I've
E7 E7 Am
reached the top and had to stop and that's what's botherin' me. I
Am Am E7
wanna be a man, mancub, and stroll right into town, and

E7 E7 Am G7

be just like the other men, I'm tired of monkeyin' around! Oh,

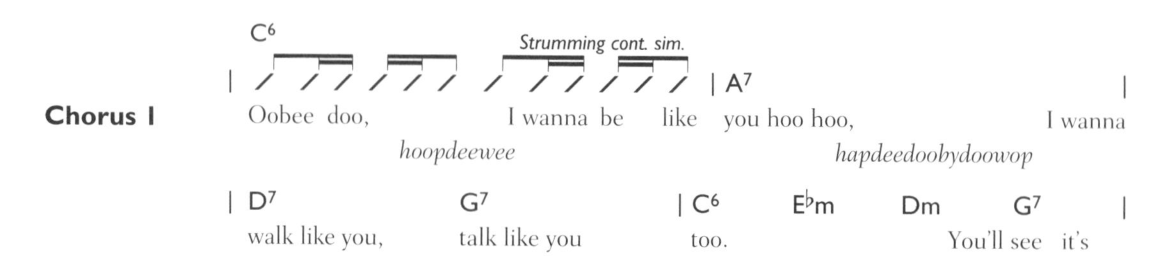

Chorus 1
C6
Strumming cont. sim.
A7
Oobee doo, I wanna be like you hoo hoo, I wanna
hoopdeewee hapdeedoobydoowop
D7 G7 C6 E♭m Dm G7
walk like you, talk like you too. You'll see it's
cheep cheep weebydeebydeewoo

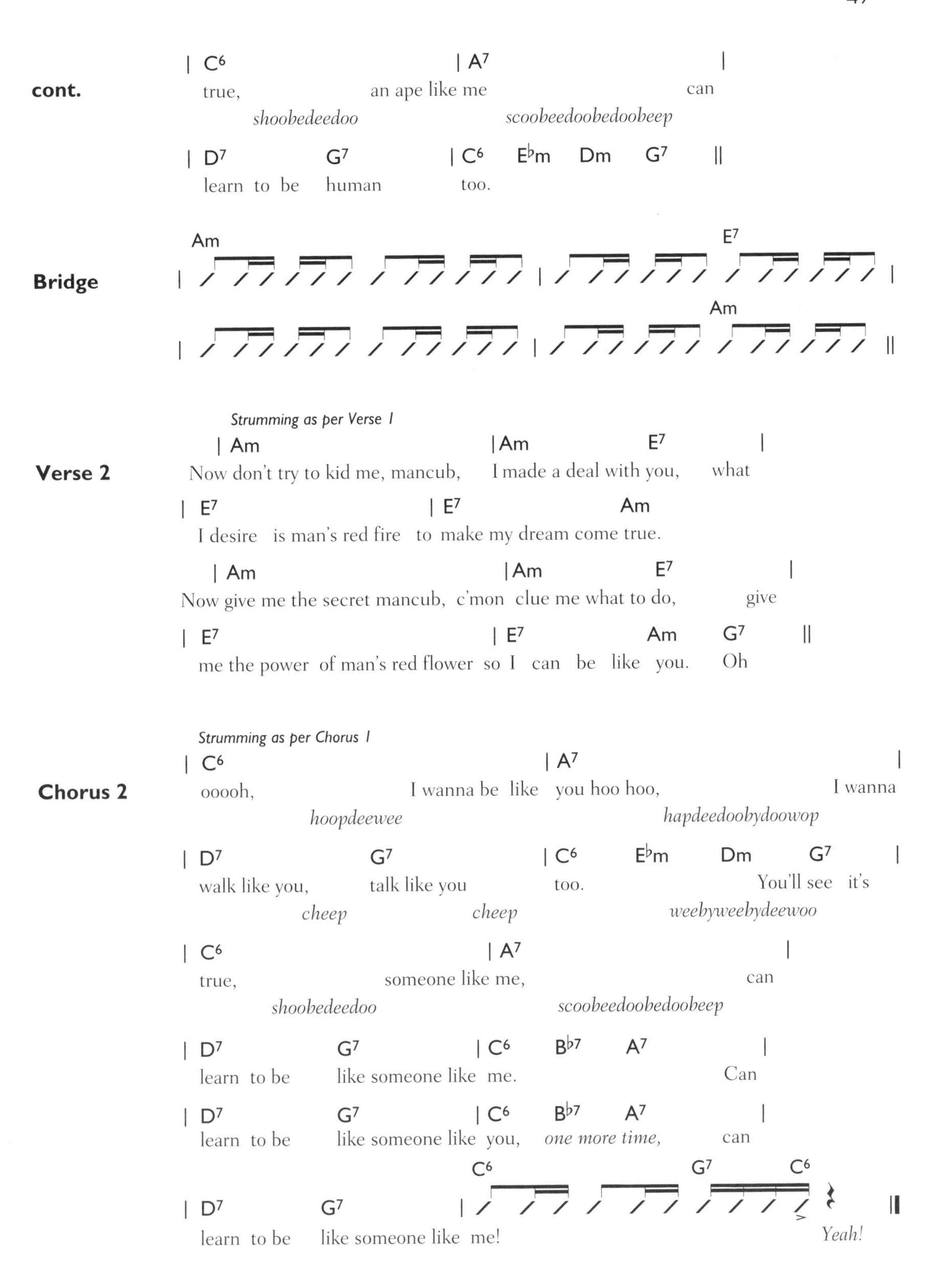

cont.
C6 A7
true, an ape like me can
shoobedeedoo scoobeedoobedoobeep
D7 G7 C6 E♭m Dm G7
learn to be human too.
Bridge
Am E7
Am
Strumming as per Verse 1
Verse 2
Am Am E7
Now don't try to kid me, mancub, I made a deal with you, what
E7 E7 Am
I desire is man's red fire to make my dream come true.
Am Am E7
Now give me the secret mancub, c'mon clue me what to do, give
E7 E7 Am G7
me the power of man's red flower so I can be like you. Oh
Strumming as per Chorus 1
Chorus 2
C6 A7
ooooh, I wanna be like you hoo hoo, I wanna
hoopdeewee hapdeedoobydoowop
D7 G7 C6 E♭m Dm G7
walk like you, talk like you too. You'll see it's
cheep cheep weebyweebydeewoo
C6 A7
true, someone like me, can
shoobedeedoo scoobeedoobedoobeep
D7 G7 C6 B♭7 A7
learn to be like someone like me. Can
D7 G7 C6 B♭7 A7
learn to be like someone like you, one more time, can
D7 G7 C6 G7 C6
learn to be like someone like me! Yeah!

ISN'T SHE LOVELY

Words and Music by Stevie Wonder

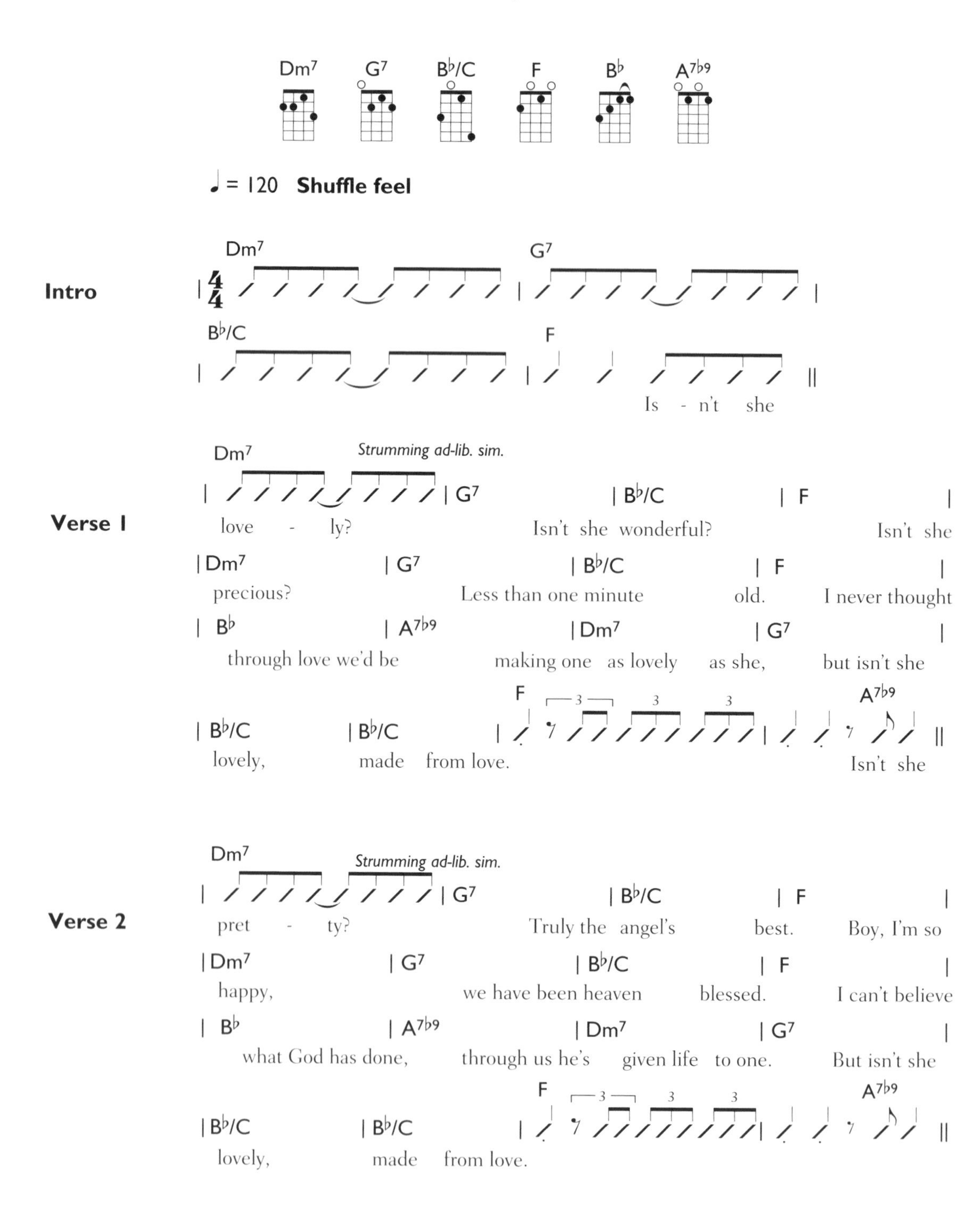

Dm7 G7 B♭/C F B♭ A7♭9
♩ = 120 Shuffle feel
Intro
Dm7 G7
B♭/C F
Is - n't she
Verse 1
Dm7 Strumming ad-lib. sim. G7 B♭/C F
love - ly? Isn't she wonderful? Isn't she
Dm7 G7 B♭/C F
precious? Less than one minute old. I never thought
B♭ A7♭9 Dm7 G7
through love we'd be making one as lovely as she, but isn't she
B♭/C B♭/C F A7♭9
lovely, made from love. Isn't she
Verse 2
Dm7 Strumming ad-lib. sim. G7 B♭/C F
pret - ty? Truly the angel's best. Boy, I'm so
Dm7 G7 B♭/C F
happy, we have been heaven blessed. I can't believe
B♭ A7♭9 Dm7 G7
what God has done, through us he's given life to one. But isn't she
B♭/C B♭/C F A7♭9
lovely, made from love.

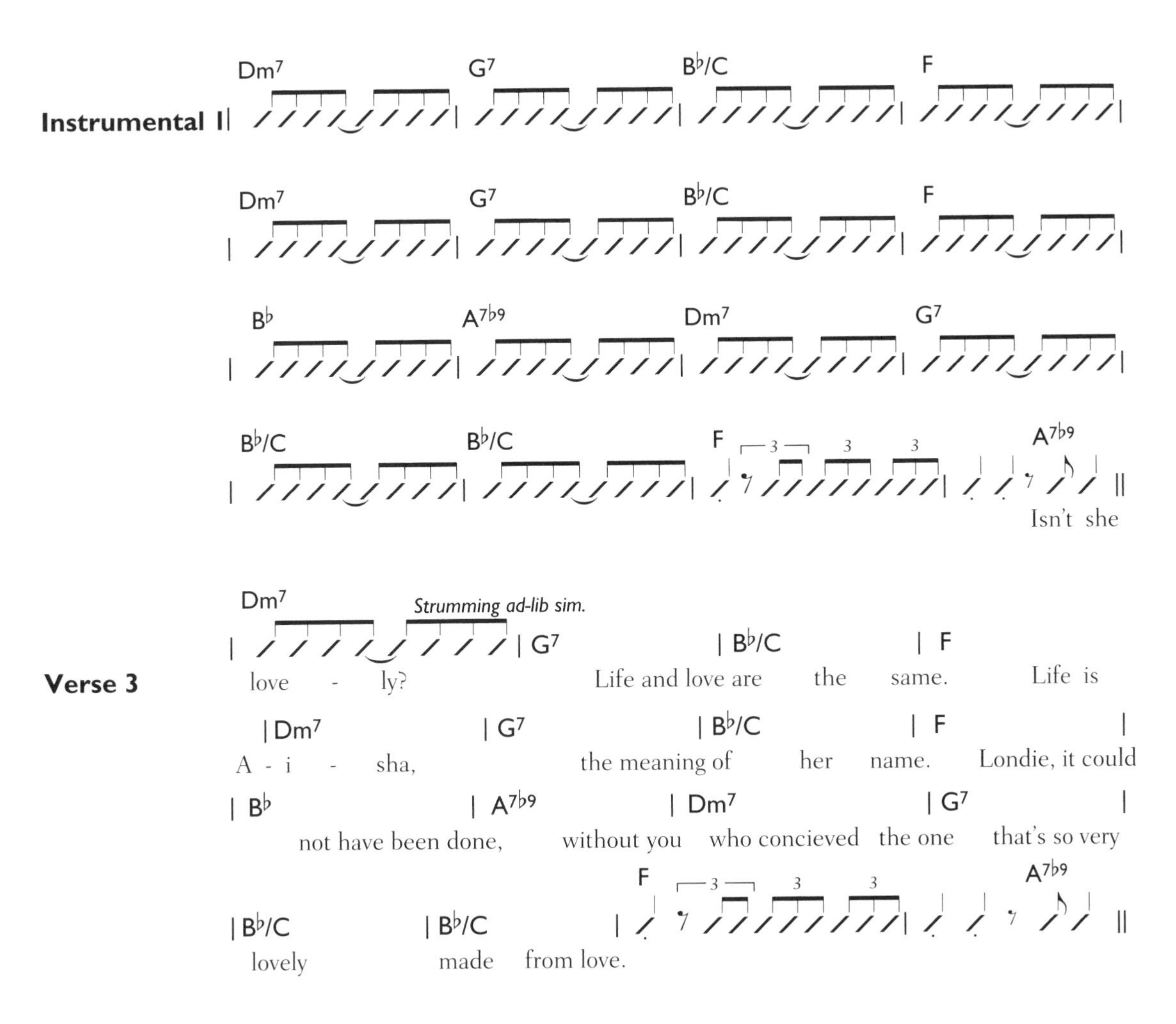
Instrumental 1
Dm7 G7 B♭/C F
Dm7 G7 B♭/C F
B♭ A7♭9 Dm7 G7
B♭/C B♭/C F A7♭9
Isn't she
Verse 3
Dm7 Strumming ad-lib sim. G7 B♭/C F
love - ly? Life and love are the same. Life is
Dm7 G7 B♭/C F
A - i - sha, the meaning of her name. Londie, it could
B♭ A7♭9 Dm7 G7
not have been done, without you who concieved the one that's so very
B♭/C B♭/C F A7♭9
lovely made from love.

Instrumental 2 *As Instrumental 1 - play x 2 and fade*

KIDS IN AMERICA

Words and Music by Ricky Wilde and Marty Wilde

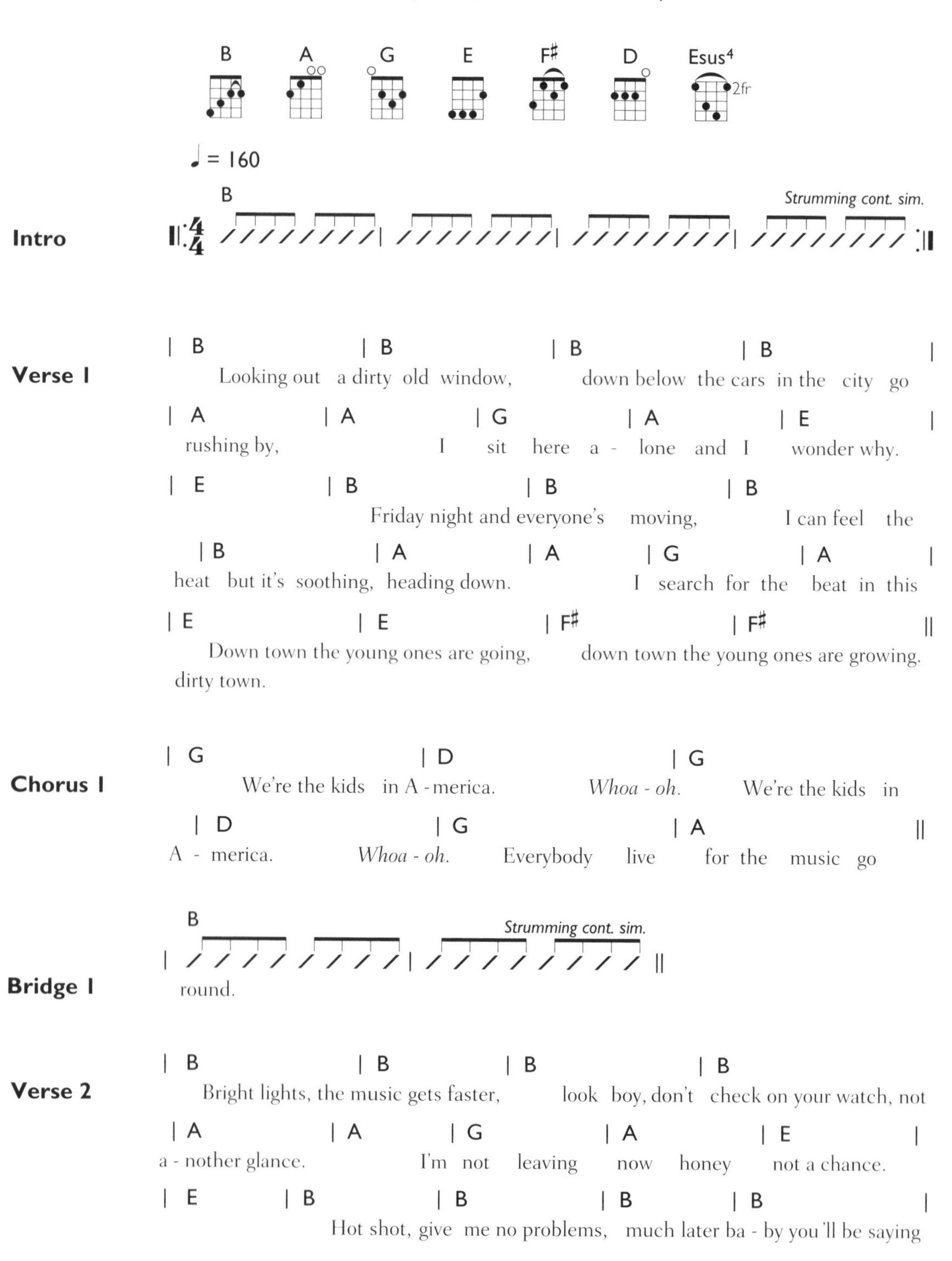
B A G E F♯ D Esus4
2fr
♩ = 160
Intro
B
Strumming cont. sim.
Verse 1
| B | B | B | B |
Looking out a dirty old window, down below the cars in the city go
| A | A | G | A | E |
rushing by, I sit here a - lone and I wonder why.
| E | B | B | B
Friday night and everyone's moving, I can feel the
| B | A | A | G | A |
heat but it's soothing, heading down. I search for the beat in this
| E | E | F♯ | F♯ ||
Down town the young ones are going, down town the young ones are growing.
dirty town.
Chorus 1
| G | D | G
We're the kids in A - merica. Whoa - oh. We're the kids in
| D | G | A ||
A - merica. Whoa - oh. Everybody live for the music go
Bridge 1
B
Strumming cont. sim.
round.
Verse 2
| B | B | B | B
Bright lights, the music gets faster, look boy, don't check on your watch, not
| A | A | G | A | E |
a - nother glance. I'm not leaving now honey not a chance.
| E | B | B | B | B |
Hot shot, give me no problems, much later ba - by you'll be saying

cont.

| A | A | G | A |
never mind, you know life is cruel, life is

| E | E | F♯ | F♯ ||
Kind hearts don't make a new story, kind hearts don't grab any glory.
never kind.

Chorus 2 *As Chorus 1*

Bridge 2

| B | D | A | G | B |
round. *Da da da da da da da. Da da da da da da, say! Da da da*

| D | A | G | G | G A ||
*da da da da. Da da da da da da.*_____

Verse 3

| B | B | B | B |
Come closer, ho - ney that's better, got to get a brand new experience,

| A | A | G | A | E |
feeling right. Oh don't try to stop baby hold me tight.

| E | B | B | B | B |
Outside a new day is dawning, outside suburbia's sprawling

| A | A | G | A |
everywhere. I don't want to go baby,

| E | E | F♯ | F♯ ||
New York to east California, there's a new wave coming I warn you.

Chorus 3 *As Chorus 1*

Bridge 3 *As Bridge 2*

Instrumental

| B / / / / / / / / | G / / / / / / / / | E / / / / / / / / |

| Esus4 / / / / E / / / / | B / / / / / / / / | G / / / / / / / / |

| Esus4 / / / / / / / / | E / / / / / / / / ||

Outro

Strumming cont. sim. *Play section x 4 and fade*

||: B | G | Esus4 | E :||
We're the kids, we're the kids, we're the kids in A - merica.

LAST NITE

Words and Music by Julian Casablancas

(C) Csus4 C5 C

Dm G Em F

♩ = 105

Intro

(C) | 4/4 | | | |

‖: Csus4 | C5 | Csus4 | C5 :‖

Verse 1

C | *Strumming cont. sim.* | C | Dm |

Last night, she said: "Oh baby I feel so down, see it

| G | Em G | C | C |

turns me off when I feel left out." So I, I turned 'round: oh baby, don't

| Dm | G | Em G |

care no more, I know this for sure, I'm walkin' out that door. Well, I've

| C | C |

been in town for just now fifteen minutes now, and baby I

| Dm | G | Em G

feel so down, and I don't know why. I keep walkin' for miles.

Chorus 1

Csus4 *Strumming cont. sim.* | C5 | Csus4

Peo - ple they don't un-der - stand. Girl - friends, they can't

| C5 | Csus4 | C5 |

under - stand. Your Grandsons, they won't under - stand. On

| Csus4 | C5

top of this, I ain't ever gonna under - stand...

Verse 2

C | *Strumming cont. sim.* | C | Dm |

Last night, she said: "Oh baby don't feel so down. Oh it

| G | Em G | C | C |

turns me off when I feel left out." So I, I turn 'round: "Oh baby, gonna

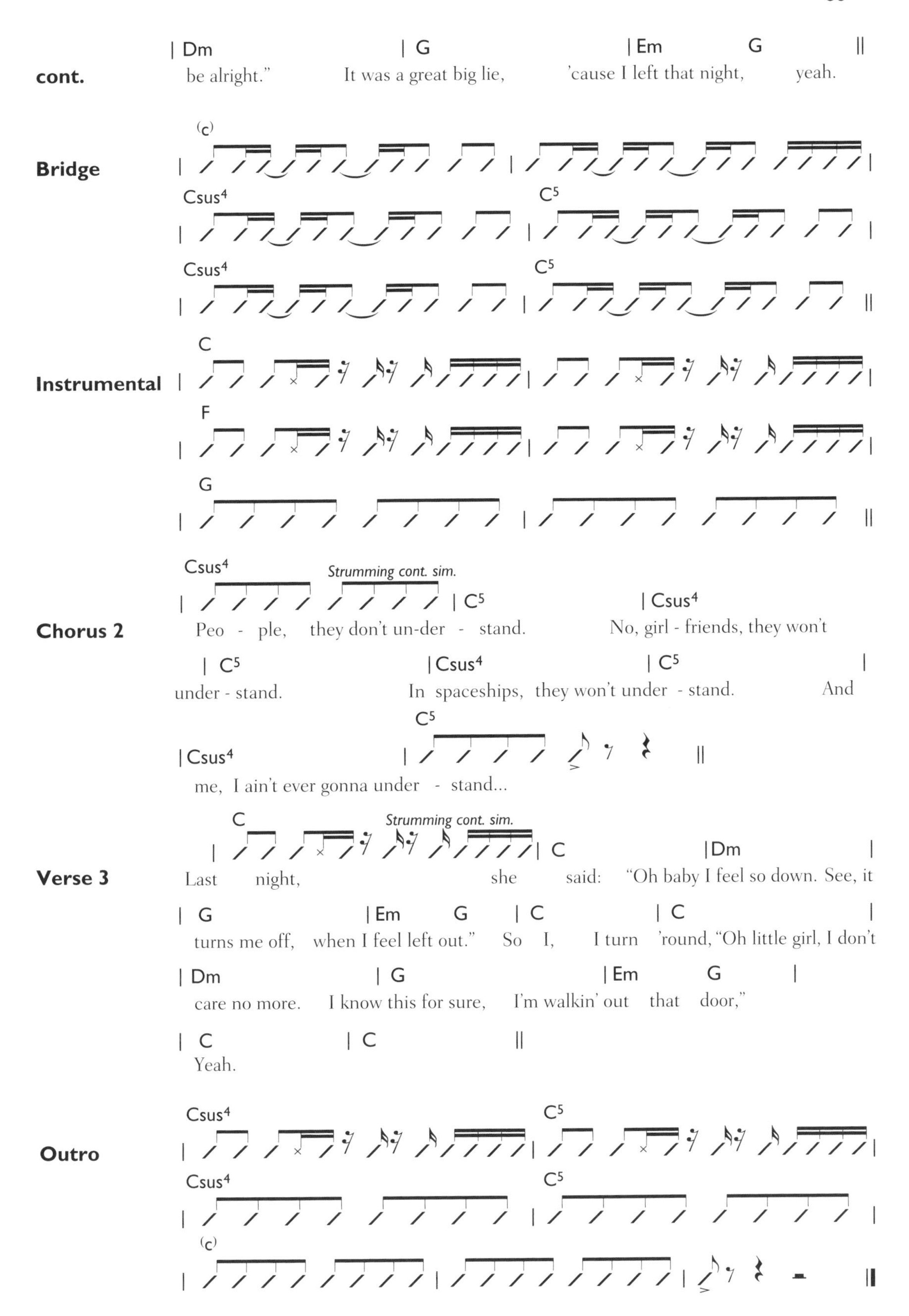
cont.
| Dm | G | Em G ||
be alright." It was a great big lie, 'cause I left that night, yeah.
Bridge
(c)
Csus4
C5
Csus4
C5
Instrumental
C
F
G
Chorus 2
Csus4
Strumming cont. sim.
| C5 | Csus4
Peo - ple, they don't un-der - stand. No, girl - friends, they won't
| C5 | Csus4 | C5 |
under - stand. In spaceships, they won't under - stand. And
C5
| Csus4 ||
me, I ain't ever gonna under - stand...
Verse 3
C
Strumming cont. sim.
| C | Dm |
Last night, she said: "Oh baby I feel so down. See, it
| G | Em G | C | C |
turns me off, when I feel left out." So I, I turn 'round, "Oh little girl, I don't
| Dm | G | Em G |
care no more. I know this for sure, I'm walkin' out that door,"
| C | C ||
Yeah.
Outro
Csus4
C5
Csus4
C5
(c)

THE MAN WHO SOLD THE WORLD

Words and Music by David Bowie

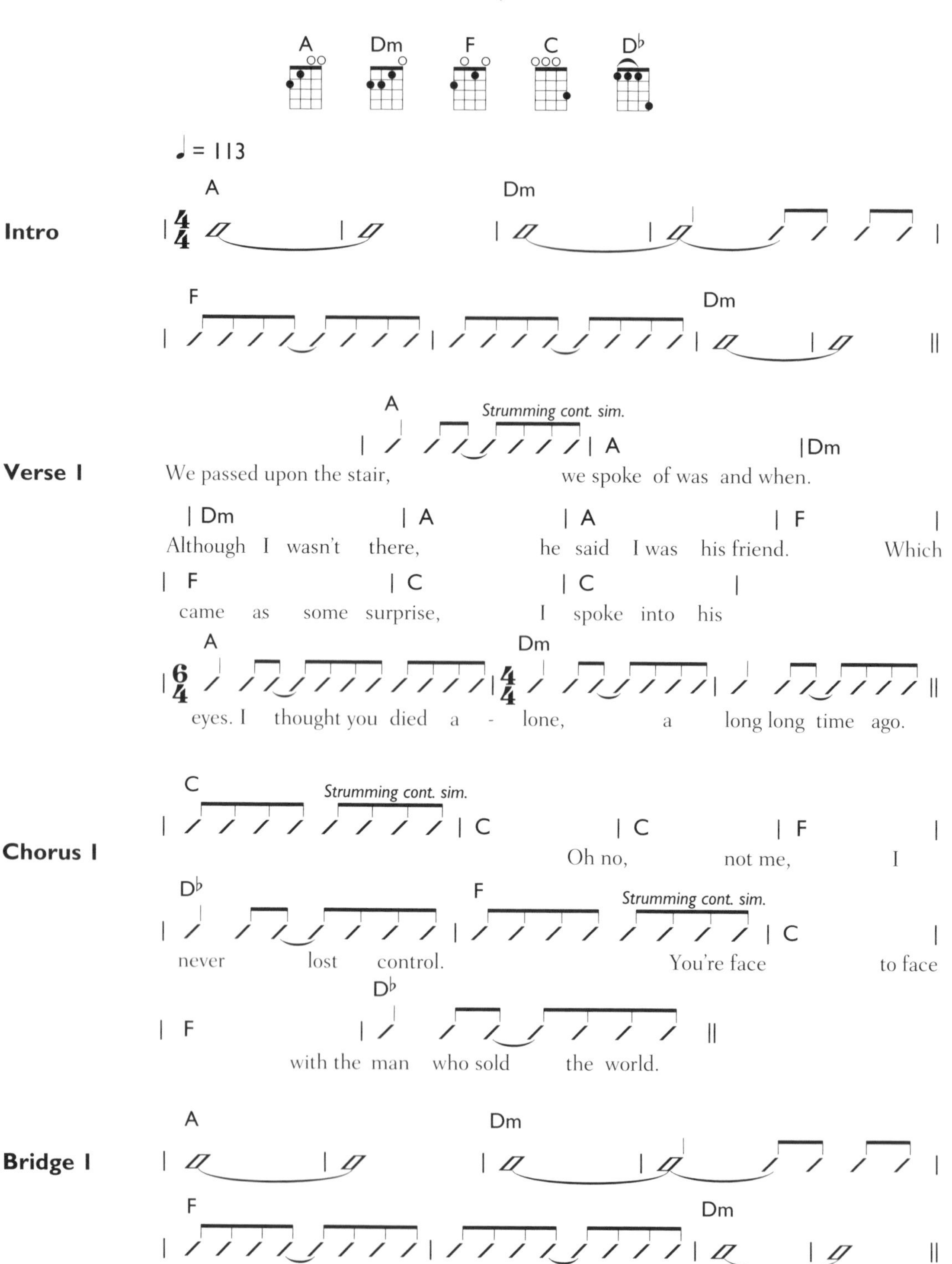
A
Dm
F
C
D♭
♩ = 113
Intro
A
Dm
F
Dm
Verse I
A
Strumming cont. sim.
A
Dm
We passed upon the stair,
we spoke of was and when.
Dm
A
A
F
Although I wasn't there,
he said I was his friend.
Which
F
C
C
came as some surprise,
I spoke into his
A
Dm
eyes. I thought you died a - lone,
a long long time ago.
Chorus I
C
Strumming cont. sim.
C
C
F
Oh no,
not me,
I
D♭
F
Strumming cont. sim.
C
never lost control.
You're face to face
F
D♭
with the man who sold the world.
Bridge I
A
Dm
F
Dm

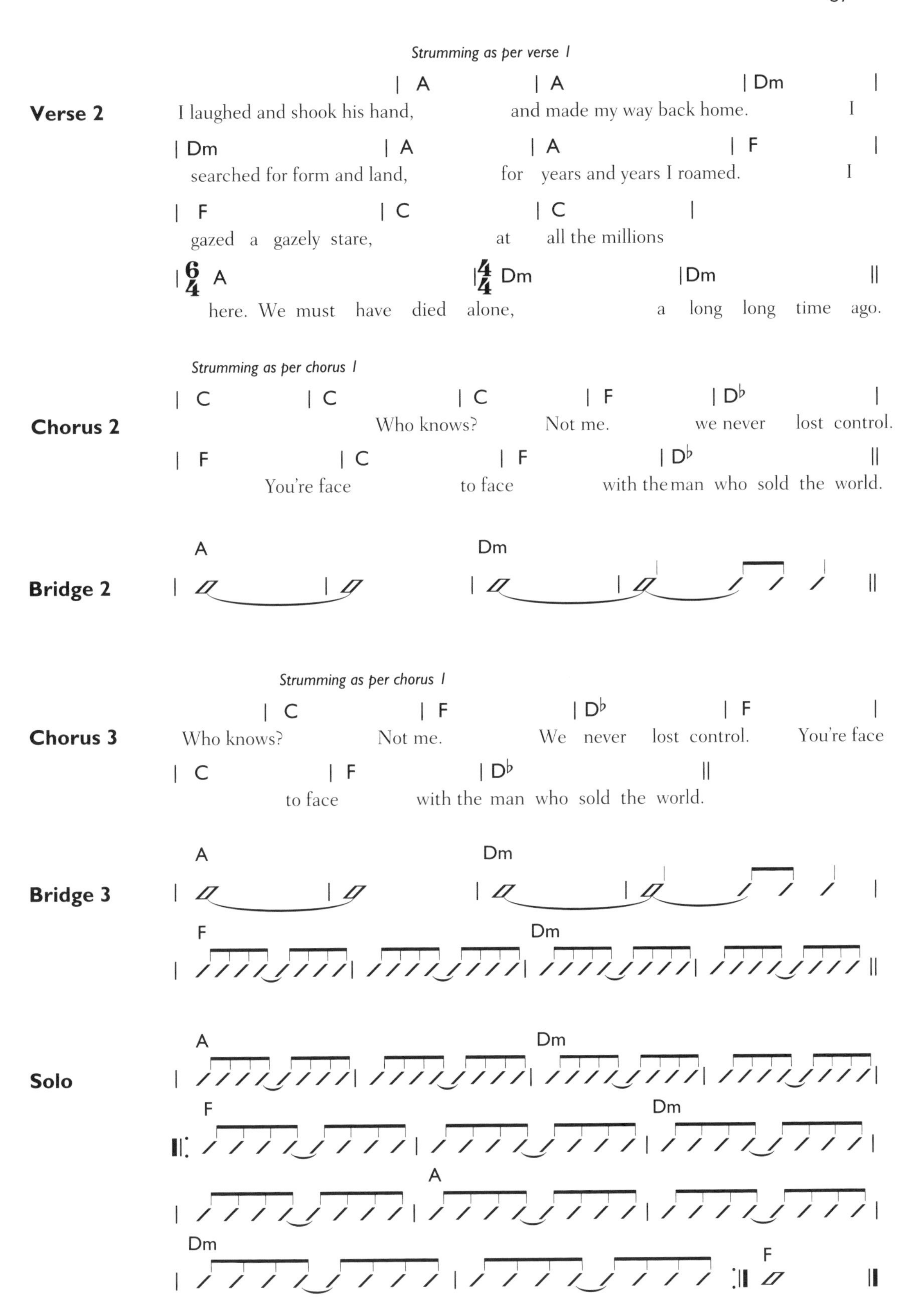
Strumming as per verse 1
Verse 2
| A | A | Dm |
I laughed and shook his hand, and made my way back home. I
| Dm | A | A | F |
searched for form and land, for years and years I roamed. I
| F | C | C |
gazed a gazely stare, at all the millions
| 6/4 A | 4/4 Dm | Dm ||
here. We must have died alone, a long long time ago.
Strumming as per chorus 1
Chorus 2
| C | C | C | F | D♭ |
Who knows? Not me. we never lost control.
| F | C | F | D♭ ||
You're face to face with the man who sold the world.
Bridge 2
A
Dm
Strumming as per chorus 1
Chorus 3
| C | F | D♭ | F |
Who knows? Not me. We never lost control. You're face
| C | F | D♭ ||
to face with the man who sold the world.
Bridge 3
A
Dm
F
Dm
Solo
A
Dm
F
Dm
A
Dm
F

NEVER WANT TO SAY IT'S LOVE

Words and Music by Dido Armstrong, Jon Brion and Rollo Armstrong

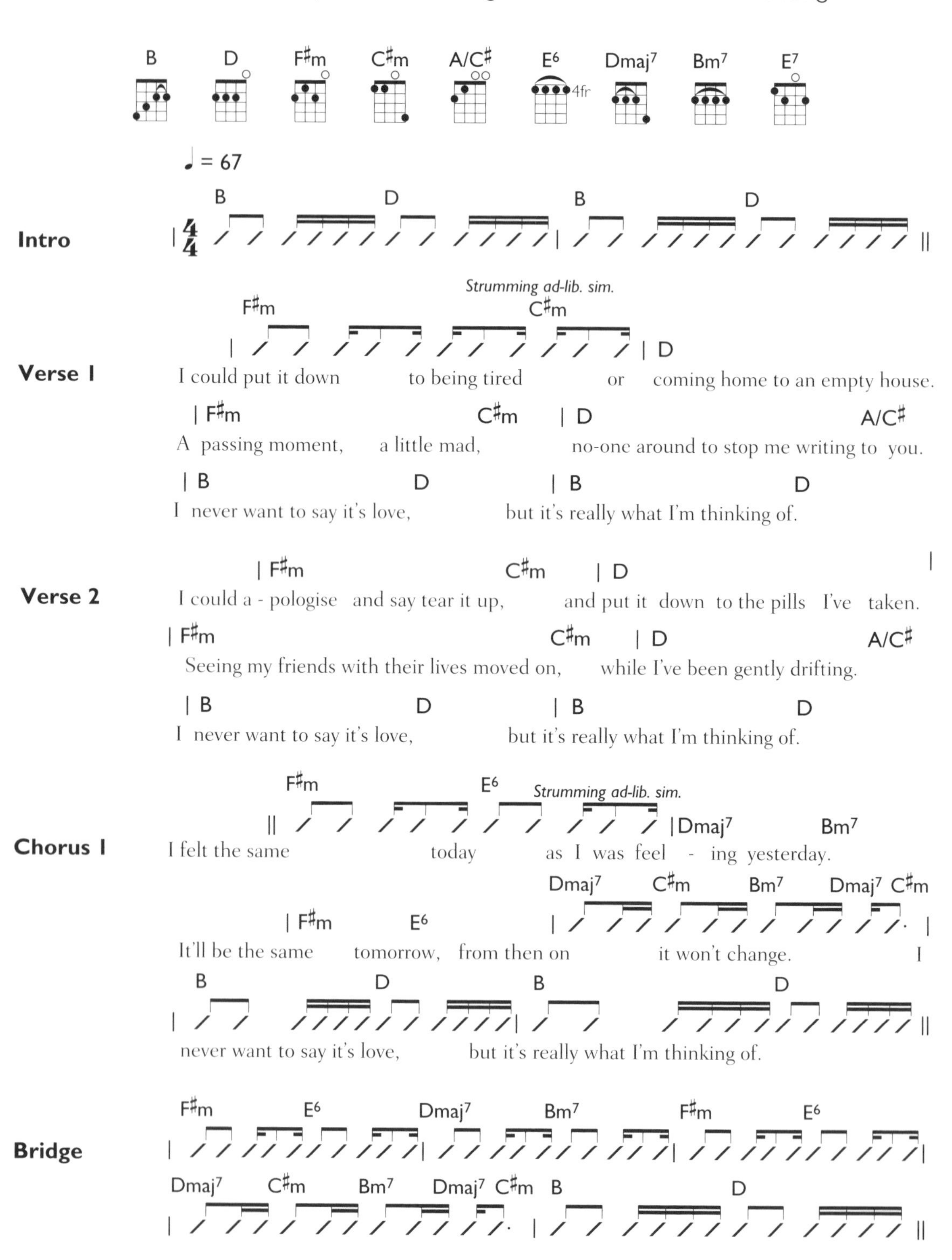
B D F♯m C♯m A/C♯ E6 Dmaj7 Bm7 E7
4fr
♩ = 67
Intro
B D B D
Verse 1
Strumming ad-lib. sim.
F♯m C♯m D
I could put it down to being tired or coming home to an empty house.
F♯m C♯m D A/C♯
A passing moment, a little mad, no-one around to stop me writing to you.
B D B D
I never want to say it's love, but it's really what I'm thinking of.
Verse 2
F♯m C♯m D
I could a - pologise and say tear it up, and put it down to the pills I've taken.
F♯m C♯m D A/C♯
Seeing my friends with their lives moved on, while I've been gently drifting.
B D B D
I never want to say it's love, but it's really what I'm thinking of.
Chorus 1
F♯m E6 Strumming ad-lib. sim. Dmaj7 Bm7
I felt the same today as I was feel - ing yesterday.
F♯m E6 Dmaj7 C♯m Bm7 Dmaj7 C♯m
It'll be the same tomorrow, from then on it won't change. I
B D B D
never want to say it's love, but it's really what I'm thinking of.
Bridge
F♯m E6 Dmaj7 Bm7 F♯m E6
Dmaj7 C♯m Bm7 Dmaj7 C♯m B D

Verse 3

Strumming as per verse 1

| F♯m C♯m | D
My home is home and I'm settled now, I've made it through the restless phase.

| F♯m C♯m | D |
I have no reason to get bored anymore, my friends are around and your name comes up,

| F♯m C♯m | D
Asking if I ever heard from you. I'm keeping it quiet about those words to you.

| F♯m E6 | D C♯m |
But I meant every word that I said, I stand by every word that I said. I

| B D | B D ||
never want to say it's love, but it's really what I'm thinking of.

Chorus 2

As Chorus 1 x 2

| B D *Strumming ad-lib. sim.* | B D |
I never want to say it's love, but it's really what I'm thinking of.

| B D | B D ||
I never want to say it's love, but it's really what I'm thinking of.

Outro

| F♯m C♯m D E7 | F♯m C♯m D E7 |

| F♯m C♯m D E7 | F♯m ||

NUTBUSH CITY LIMITS

Words and Music by Tina Turner

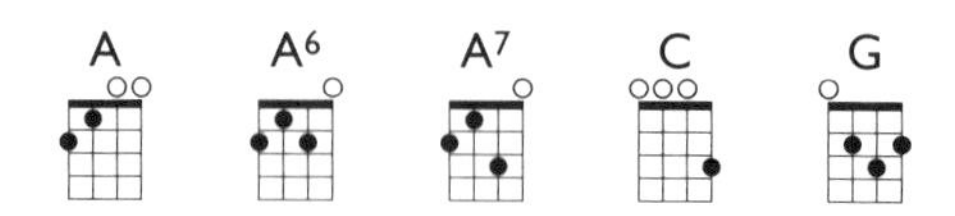
A
A6
A7
C
G

♩ = 153

Intro

| A A6 A A6 | A7 A6 A A6 | A A6 A A6 | A7 A6 A A6 :||

| C | | G | |

| A A6 A A6 | A7 A6 A A6 | A A6 A A6 | A7 A6 A A6 ||

Verse 1

Strumming cont. sim.

| A A6 A A6 | A7 A6 A A6 | A A6 A A6 | A7 A6 A A6
A church house gin house, a school house outhouse

| A A6 A A6 | A7 A6 A A6 | A A6 A A6 | A7 A6 A A6
Oh high-way number nineteen, the people keep the city clean.

Chorus 1

| C *Strumming cont. sim.* | C | G | G |
They call it Nut - bush, oh Nutbush, they call it

| A A6 A A6 | A7 A6 A A6 | A A6 A A6 | A7 A6 A A6
Nut-bush city limits. *Strumming cont. sim*

Verse 2

Strumming cont. sim.

| A A6 A A6 | A7 A6 A A6 | A A6 A A6 | A7 A6 A A6 |
Twenty-five for the speed limit, motorcycle not allowed in it. You go to

| A A6 A A6 | A7 A6 A A6 | A A6 A A6 | A7 A6 A A6 |
store on Friday, you go to church on Sunday.

Chorus 2 *As Chorus 1*

Verse 3

Strumming as per verse 1

| A A⁶ A A⁶ | A⁷ A⁶ A A⁶ | A A⁶ A A⁶ | A⁷ A⁶ A A⁶ |

You go to fields on weekdays, and have a picnic on Labour Day, you go to

| A A⁶ A A⁶ | A⁷ A⁶ A A⁶ | A A⁶ A A⁶ | A⁷ A⁶ A A⁶ |

town on Saturday, but go to church every Sunday.

Chorus 3 *As Chorus 1*

Instrumental

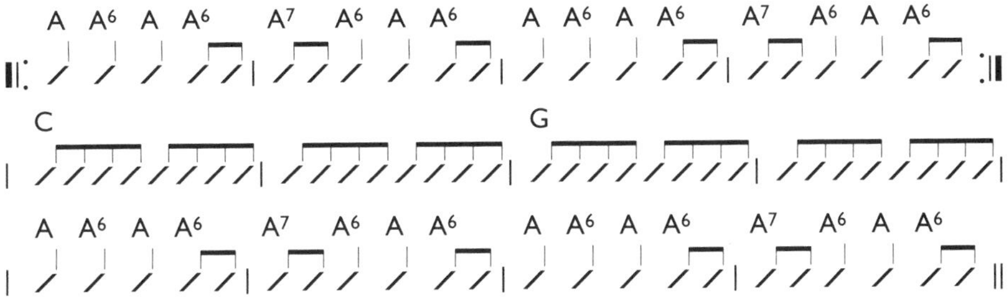

𝄆 A A⁶ A A⁶ | A⁷ A⁶ A A⁶ | A A⁶ A A⁶ | A⁷ A⁶ A A⁶ 𝄇

| C | | G | |

| A A⁶ A A⁶ | A⁷ A⁶ A A⁶ | A A⁶ A A⁶ | A⁷ A⁶ A A⁶ ||

Verse 4

Strumming as per verse 1

| A A⁶ A A⁶ | A⁷ A⁶ A A⁶ | A A⁶ A A⁶ | A⁷ A⁶ A A⁶ |

No whiskey for sale, If you get drunk, no bail. Salt

| A A⁶ A A⁶ | A⁷ A⁶ A A⁶ | A A⁶ A A⁶ | A⁷ A⁶ A A⁶ |

pork and molasses is all____ you get in jail.

Chorus 4 *As Chorus 1*

Outro

Strumming as per verse 1

𝄆 A A⁶ A A⁶ | A⁷ A⁶ A A⁶ | A A⁶ A A⁶ | A⁷ A⁶ A A⁶ |

Little old town in Tennessee... that's called... a

Ad-lib. vocals on repeat & fade out

| A A⁶ A A⁶ | A⁷ A⁶ A A⁶ | A A⁶ A A⁶ | A⁷ A⁶ A A⁶ 𝄇

quiet little old community...

THE PASSENGER

Words and Music by James Osterberg and Ricky Gardiner

Am F C G E7

♩ = 135 **Swing feel**

Play section x3

Intro

| Am F | C G | Am F | C E7 :||

Strumming pattern cont. sim. throughout

Verse 1

| Am F | C G | Am F | C E7 |
I am the passenger, and I ride and I ride,

| Am F | C G | Am F | C E7 |
I ride through the city's backsides, I see the stars come out of the sky.

| Am F | C G | Am F | C E7 |
Yeah the bright and hollow sky, you know it looks so good tonight.

| Am F | C G | Am F | C E7 ||

Verse 2

| Am F | C G | Am F | C E7 |
I am the passenger, I stay under glass,

| Am F | C G | Am F | C E7 |
I look through my window so bright, I see the stars come out tonight.

| Am F | C G | Am F | C E7 |
I see the bright and hollow sky, over the city's ripped backside,

| Am F | C G | Am F | C E7
And everything looks good tonight.

Chorus 1

| Am F | C G | Am F |
Let's sing la la la la la la la la. La la la la

| C E7 | Am F | C G |
la la la la. La la la la la la la la, la la la.

| Am F | C E7 | Am F | C G ||

Verse 3

| Am F | C G | Am F | C E7 |
Get in - to the car, we'll be the passenger,

| Am F | C G | Am F | C E7 |
We'll ride through the city tonight, we'll see the city's ripped backsides.

| Am F | C G | Am F | C E7 |
We'll see the bright and hollow sky, we'll see the stars that shine so bright,

cont.

| Am F | C G | Am F | C E7 |
Stars made for us tonight.
| Am F | C G | Am F | C E7 ||

Verse 4

| Am F | C G | Am F | C E7 |
Oh the passenger, how, how he rides.
| Am F | C G | Am F | C E7 |
Oh the passenger, he rides and he rides.
| Am F | C G | Am F | C E7 |
He looks through his window, what does he see?
| Am F | C G | Am F | C E7 |
He sees the bright and hollow sky, he sees the stars come out tonight.
| Am F | C G | Am F | C E7 |
He sees the city's ripped backsides, he sees the winding ocean drive.
| Am F | C G | Am F | C E7 |
And everything was made for you and me, all of it was made for you and me.
| Am F | C G | Am F | C E7 |
'Cause it just belongs to you and me, so let's take a ride and see what's
| Am F | C G | Am F | C E7 ||
mine.___

Chorus 2

As Chorus 1

Verse 5

| Am F | C G | Am F | C E7 |
Oh the passenger, he rides and he rides,
| Am F | C G | Am F | C E7 |
He sees things from un - der glass, he looks through his win-dow side.
| Am F | C G | Am F
He sees the things that he knows are his, he sees the bright and
| C E7 | Am F | C G | Am F
hol - low sky, he sees the city sleep tonight, he sees the stars are
| C E7 | Am F | C G | Am F
out tonight. And all of it is yours and mine, and all of it is
| C E7 | Am F | C G |
yours and mine... So let's ride and ride and ride and ride.
| Am F | C E7 | Am F | C G

Outro

||: Am F | C G | Am F | C E7 |
Oh sing la la la la la la la la. La la la la la la la la.
| Am F | C G | Am F | C E7 :||
La la la la la la la la, la la la.
Fade on repeat

SONG 2

Words and Music by Damon Albarn, Alex James,
Graham Coxon and David Rowntree

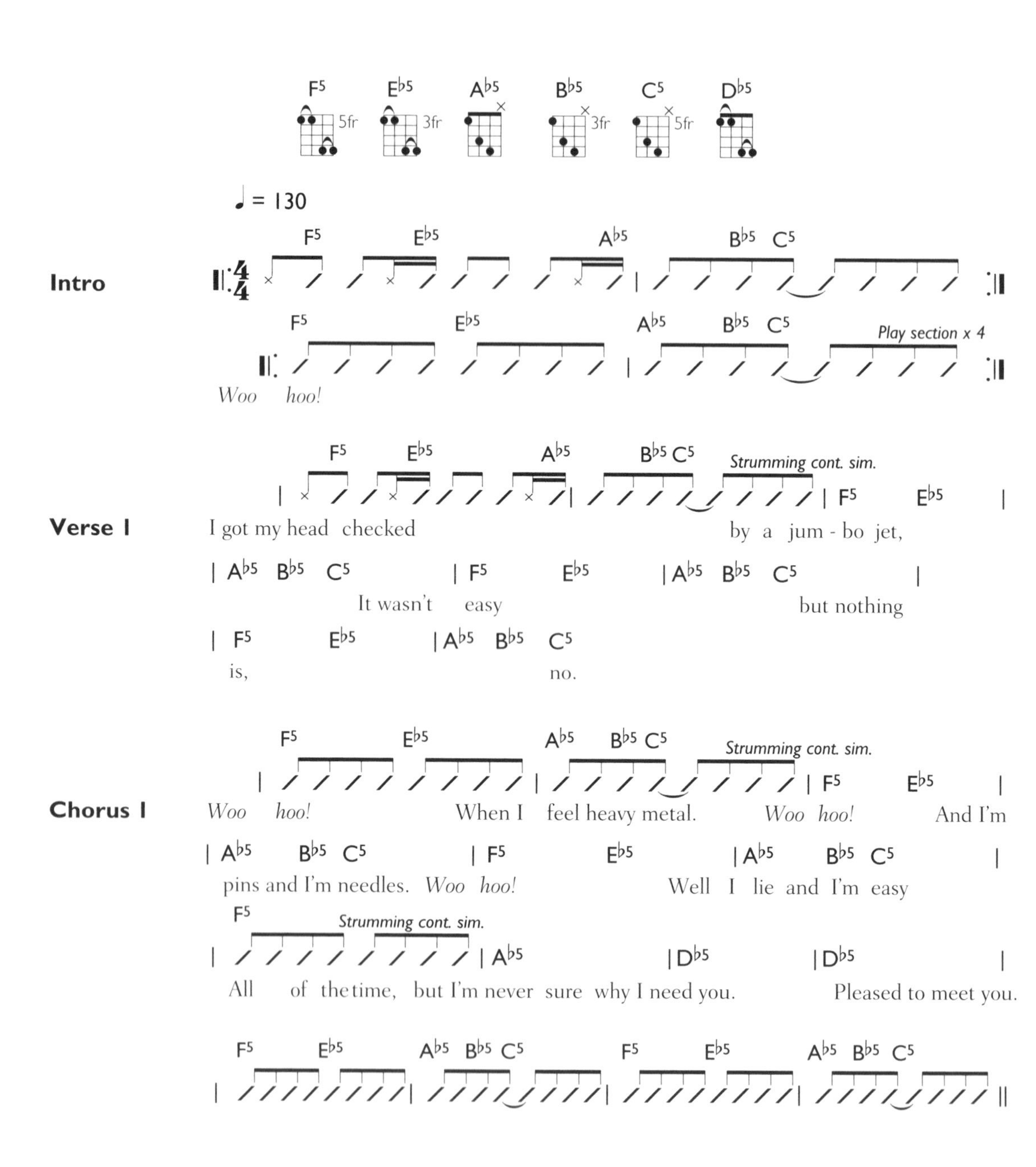

F5 Eb5 Ab5 Bb5 C5 Db5
5fr 3fr 3fr 5fr
♩ = 130
Intro
F5 Eb5 Ab5 Bb5 C5
F5 Eb5 Ab5 Bb5 C5
Play section x 4
Woo hoo!
Verse 1
F5 Eb5 Ab5 Bb5 C5
Strumming cont. sim.
F5 Eb5
I got my head checked by a jum - bo jet,
Ab5 Bb5 C5 F5 Eb5 Ab5 Bb5 C5
It wasn't easy but nothing
F5 Eb5 Ab5 Bb5 C5
is, no.
Chorus 1
F5 Eb5 Ab5 Bb5 C5
Strumming cont. sim.
F5 Eb5
Woo hoo! When I feel heavy metal. Woo hoo! And I'm
Ab5 Bb5 C5 F5 Eb5 Ab5 Bb5 C5
pins and I'm needles. Woo hoo! Well I lie and I'm easy
F5
Strumming cont. sim.
Ab5 Db5 Db5
All of the time, but I'm never sure why I need you. Pleased to meet you.
F5 Eb5 Ab5 Bb5 C5 F5 Eb5 Ab5 Bb5 C5

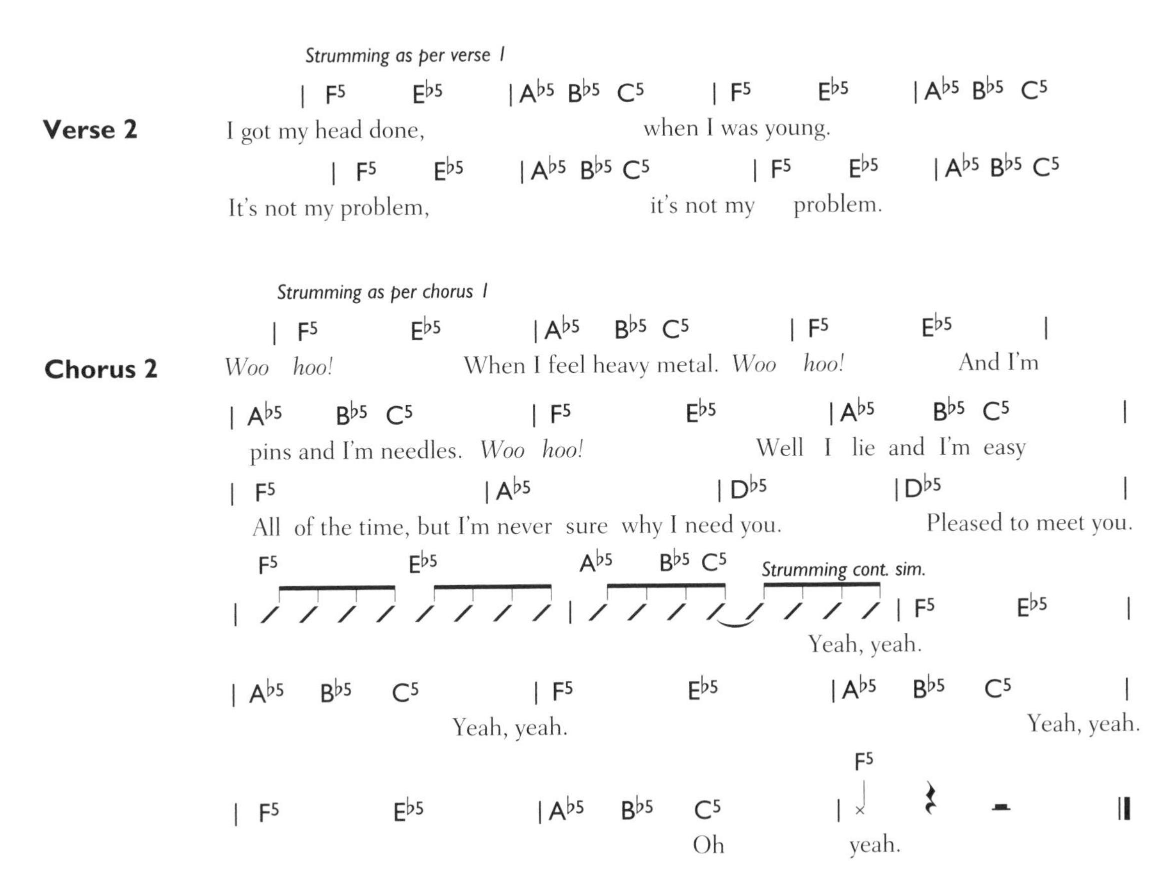
Verse 2
Strumming as per verse 1
| F5 E♭5 | A♭5 B♭5 C5 | F5 E♭5 | A♭5 B♭5 C5
I got my head done, when I was young.
| F5 E♭5 | A♭5 B♭5 C5 | F5 E♭5 | A♭5 B♭5 C5
It's not my problem, it's not my problem.
Chorus 2
Strumming as per chorus 1
| F5 E♭5 | A♭5 B♭5 C5 | F5 E♭5 |
Woo hoo! When I feel heavy metal. Woo hoo! And I'm
| A♭5 B♭5 C5 | F5 E♭5 | A♭5 B♭5 C5 |
pins and I'm needles. Woo hoo! Well I lie and I'm easy
| F5 | A♭5 | D♭5 | D♭5 |
All of the time, but I'm never sure why I need you. Pleased to meet you.
F5 E♭5 A♭5 B♭5 C5 Strumming cont. sim.
| F5 E♭5 |
Yeah, yeah.
| A♭5 B♭5 C5 | F5 E♭5 | A♭5 B♭5 C5 |
Yeah, yeah. Yeah, yeah.
F5
| F5 E♭5 | A♭5 B♭5 C5 |
Oh yeah.

SWEET ABOUT ME

Words and Music by Gabriella Cilmi, Miranda Cooper, Brian Higgins, Timothy Powell, Tim Larcombe and Nick Coler

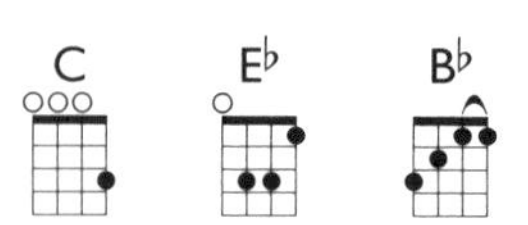

C
E♭
B♭

♩ = 132 **Swing feel**

Verse 1

Strumming ad-lib sim.

| C | E♭ | B♭ | C |
Ooh, watching me hanging by a string this time.

| C | E♭ | B♭ | C |
Oh, easily climax of the perfect life.

| C | E♭ | B♭ | C |
Ooh, watching me hanging by a string this time.

| C | E♭ | B♭ | C ||
Oh, easily a smile worth a hundred lies.

Pre-Chorus 1

| C | E♭ | B♭ |
If there's lessons to be learned, I'd rather get my jamming

| C | C | E♭ |
words in first, oh. Tell ya something that I've found, that the

| B♭ | C | C |
world's a better place when it's upside down, boy. If there's lessons to be

| E♭ | B♭ | C |
learned, I'd rather get my jamming words in first, oh

| C | E♭ |
When you're playing with desire, don't come

| B♭ | C
running to my place when it burns like fire, boy.

Chorus 1

Play section x 4

||: C | E♭ | B♭ | C :||
Sweet about me, nothing sweet about me, yeah. Sweet about

Bridge

| C | E♭ | B♭ | C ||

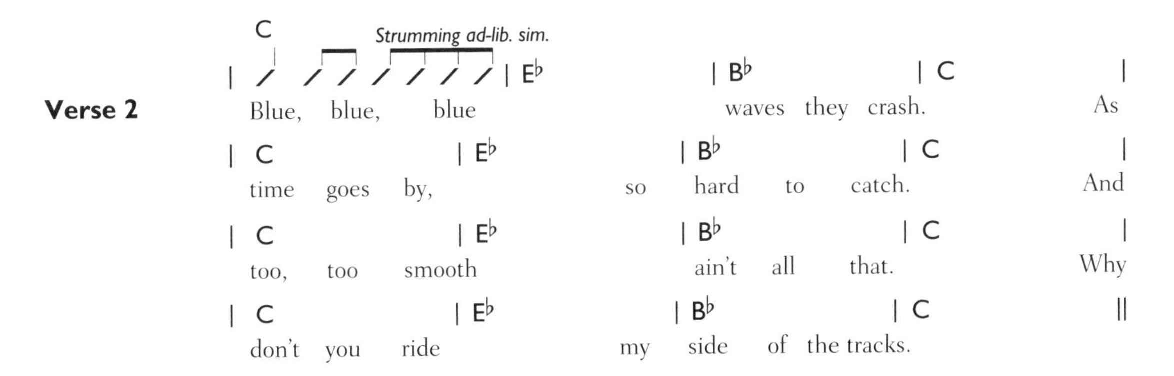
Verse 2
C
Strumming ad-lib. sim.
| E♭ | B♭ | C |
Blue, blue, blue waves they crash. As
| C | E♭ | B♭ | C |
time goes by, so hard to catch. And
| C | E♭ | B♭ | C |
too, too smooth ain't all that. Why
| C | E♭ | B♭ | C ||
don't you ride my side of the tracks.

Pre-Chorus 2 *As Pre-Chorus 1*

Chorus 2 *As Chorus 1*

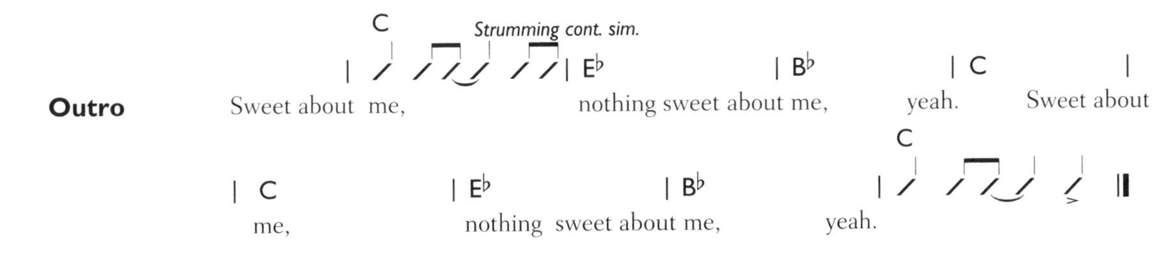
Outro
C
Strumming cont. sim.
| E♭ | B♭ | C |
Sweet about me, nothing sweet about me, yeah. Sweet about
| C | E♭ | B♭ | C
me, nothing sweet about me, yeah.

TAKE ME HOME, COUNTRY ROADS

Words and Music by John Denver, Bill Danoff and Taffy Nivert

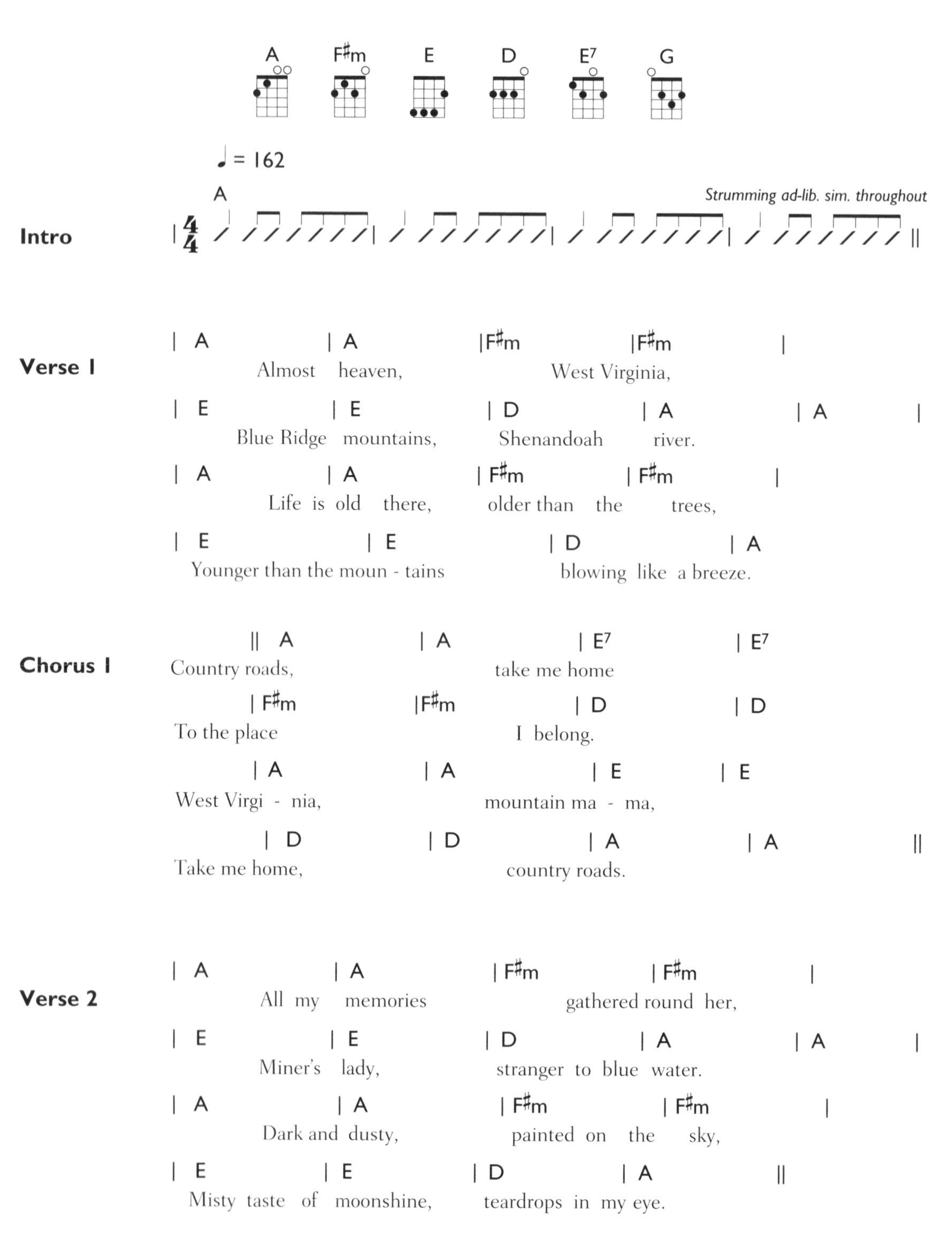
A F♯m E D E7 G
♩ = 162
Strumming ad-lib. sim. throughout
Intro
A
Verse 1
| A | A | F♯m | F♯m |
Almost heaven, West Virginia,
| E | E | D | A | A |
Blue Ridge mountains, Shenandoah river.
| A | A | F♯m | F♯m |
Life is old there, older than the trees,
| E | E | D | A
Younger than the moun - tains blowing like a breeze.
Chorus 1
|| A | A | E7 | E7
Country roads, take me home
| F♯m | F♯m | D | D
To the place I belong.
| A | A | E | E
West Virgi - nia, mountain ma - ma,
| D | D | A | A ||
Take me home, country roads.
Verse 2
| A | A | F♯m | F♯m |
All my memories gathered round her,
| E | E | D | A | A |
Miner's lady, stranger to blue water.
| A | A | F♯m | F♯m |
Dark and dusty, painted on the sky,
| E | E | D | A ||
Misty taste of moonshine, teardrops in my eye.

Chorus 2 *As Chorus 1*

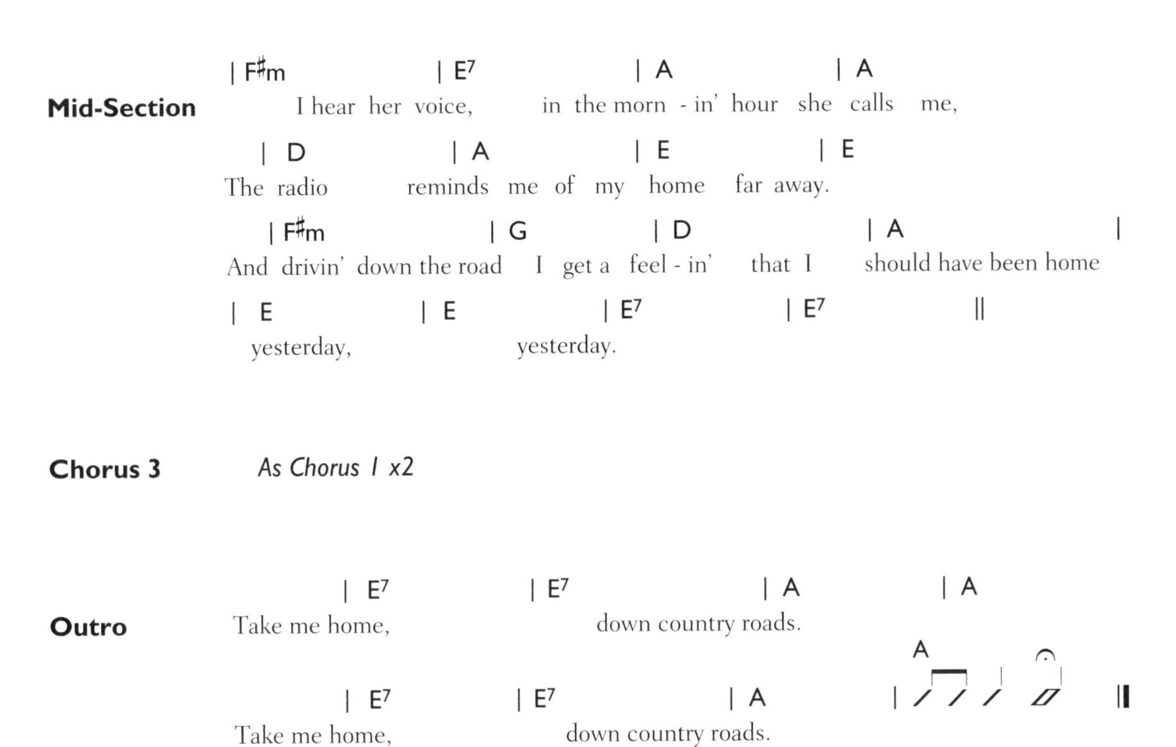
| F♯m | E7 | A | A
Mid-Section
I hear her voice, in the morn - in' hour she calls me,
| D | A | E | E
The radio reminds me of my home far away.
| F♯m | G | D | A |
And drivin' down the road I get a feel - in' that I should have been home
| E | E | E7 | E7 ||
yesterday, yesterday.
Chorus 3
As Chorus 1 x2
| E7 | E7 | A | A
Outro
Take me home, down country roads.
| E7 | E7 | A | A
Take me home, down country roads.

THAT'S NOT MY NAME

Words and Music by Julian De Martino and Katie White

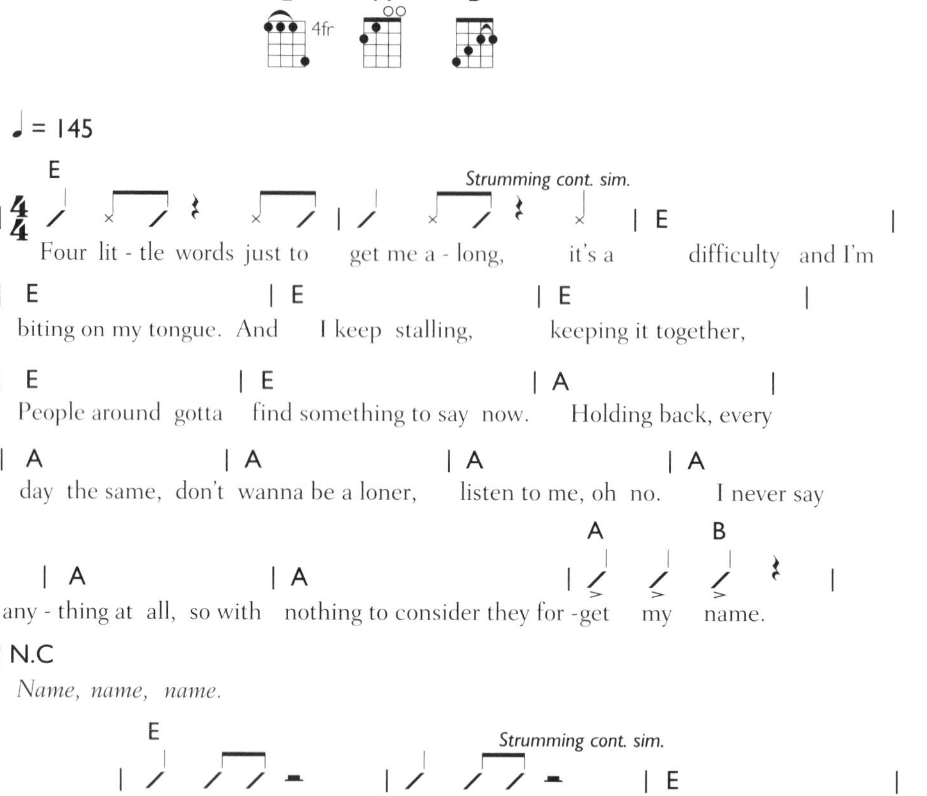
E
A
B
4fr
♩ = 145
E
Strumming cont. sim.
Verse 1
Four lit - tle words just to get me a - long, it's a | E difficulty and I'm
| E biting on my tongue. And | E I keep stalling, | E keeping it together, |
| E People around gotta | E find something to say now. | A Holding back, every |
| A day the same, don't | A wanna be a loner, | A listen to me, oh no. | A I never say
| A any - thing at all, so with | A nothing to consider they for - get A my B name. |
| N.C Name, name, name.
E
Strumming cont. sim.
Chorus 1
They call me hell, they call me Sta - cey, they call me | E her, they call me |

| E Jane. | A That's not my name, | A that's not my name, | A that's not my name, that's not my |

| A name... B They call me | E qui - et, but I'm a ri - ot, Mary-Jo- |

Strumming cont. sim.

| E - Li - sa, | E always the same. | A That's not my name, that's not my |

| A name, | A that's not my name, that's not my | A name. B ||

Verse 2

| E *Strumming as per verse 1* I miss the catch | E if they throw me the ball. | E I'm the last drip standing up

| E a - gainst the wall. | E Keep falling, these heels | E that keep me boring. |

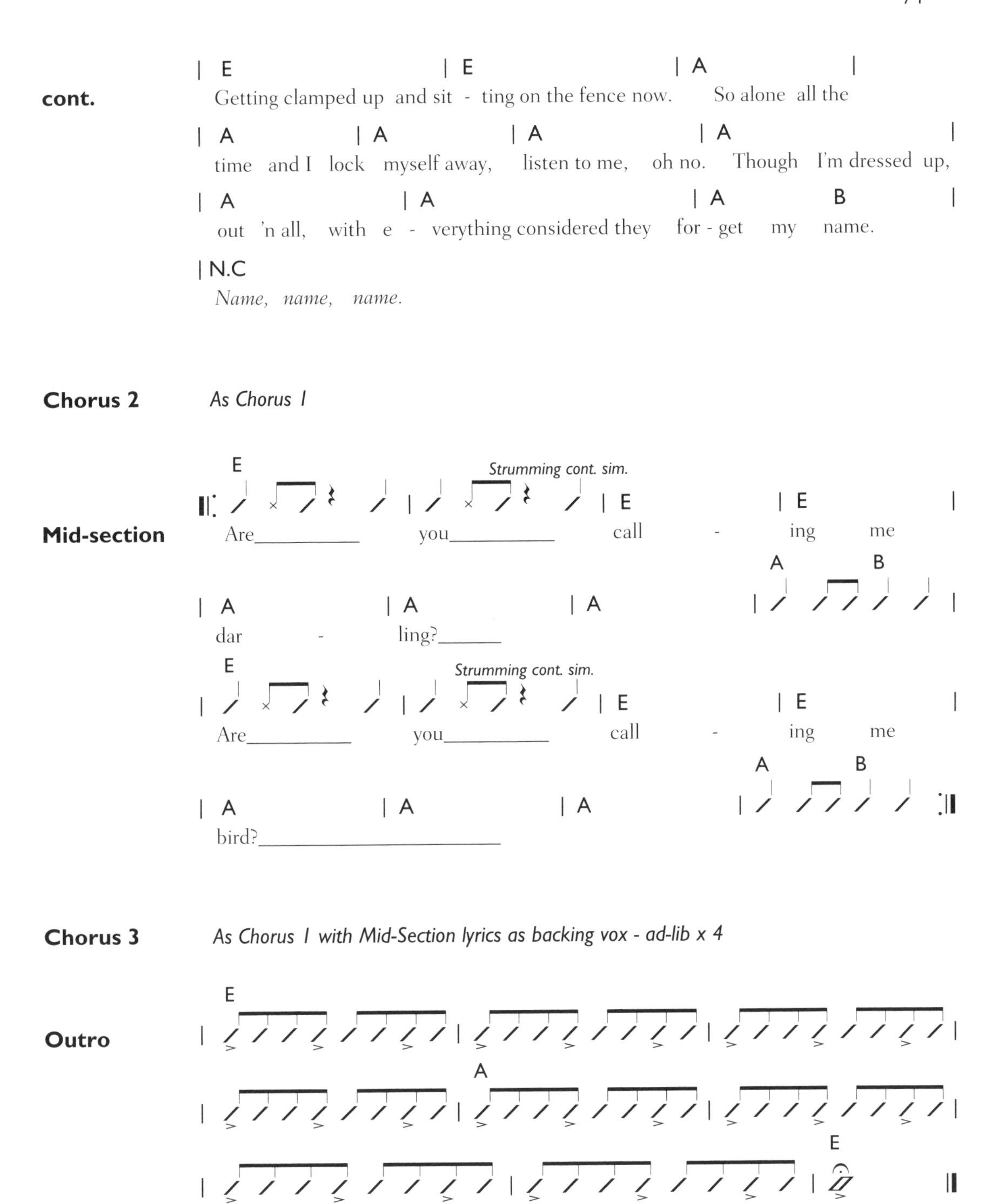
cont.
| E | E | A |
Getting clamped up and sit - ting on the fence now. So alone all the
| A | A | A | A |
time and I lock myself away, listen to me, oh no. Though I'm dressed up,
| A | A | A B |
out 'n all, with e - verything considered they for - get my name.
| N.C
Name, name, name.
Chorus 2
As Chorus 1
Mid-section
E
Strumming cont. sim.
| E | E |
Are you call - ing me
| A | A | A | A B |
dar - ling?
E
Strumming cont. sim.
| E | E |
Are you call - ing me
| A | A | A | A B |
bird?
Chorus 3
As Chorus 1 with Mid-Section lyrics as backing vox - ad-lib x 4
Outro
E
A
E

VALERIE

Words and Music by Dave McCabe, Sean Payne,
Abigail Harding, Boyan Chowdhury and Russell Pritchard

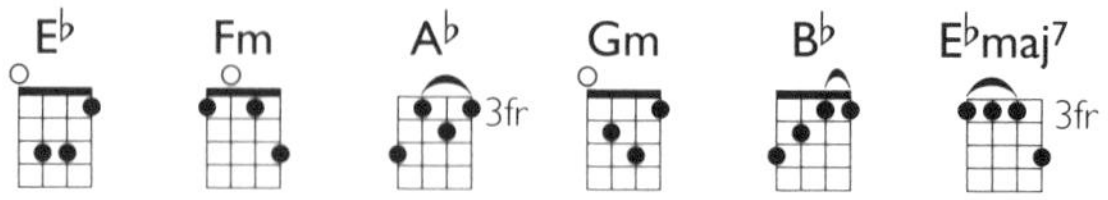

E♭ Fm A♭ Gm B♭ E♭maj7

♩ = 212

Intro

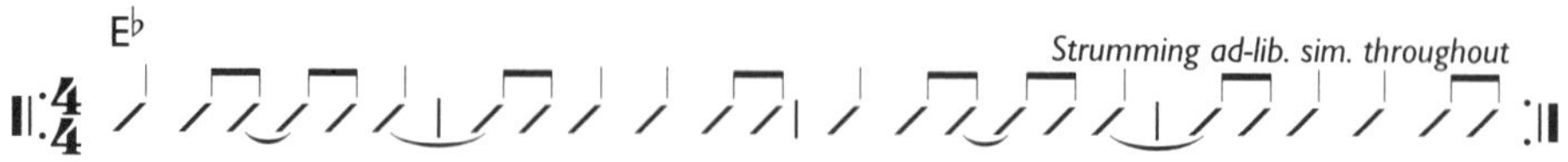

E♭
Strumming ad-lib. sim. throughout

Verse 1

| E♭ | E♭ | E♭ | E♭
Well sometimes I go out by myself and I look across the
| Fm | Fm | Fm | Fm |
wa - ter, and I
| E♭ | E♭ | E♭ | E♭
think of all the things what you're doing, and in my head I paint a
| Fm | Fm | Fm | Fm
pic - ture.

Pre-Chorus 1

| A♭ | A♭ | Gm | Gm
'Cause since I've come on home, well my bo - dy's been a mess, and I
| A♭ | A♭ | Gm | Gm |
miss your ginger hair and the way you like to dress.
| A♭ | A♭ | Gm | Gm
Won't you come on o - ver? Stop making a fool out of
| B♭ | B♭ | B♭ | B♭
me. Why don't you come on o - ver

Chorus 1

‖: E♭ | E♭ | E♭ | E♭
Valerie?_____
| Fm | Fm | Fm | Fm :‖
Valerie._____

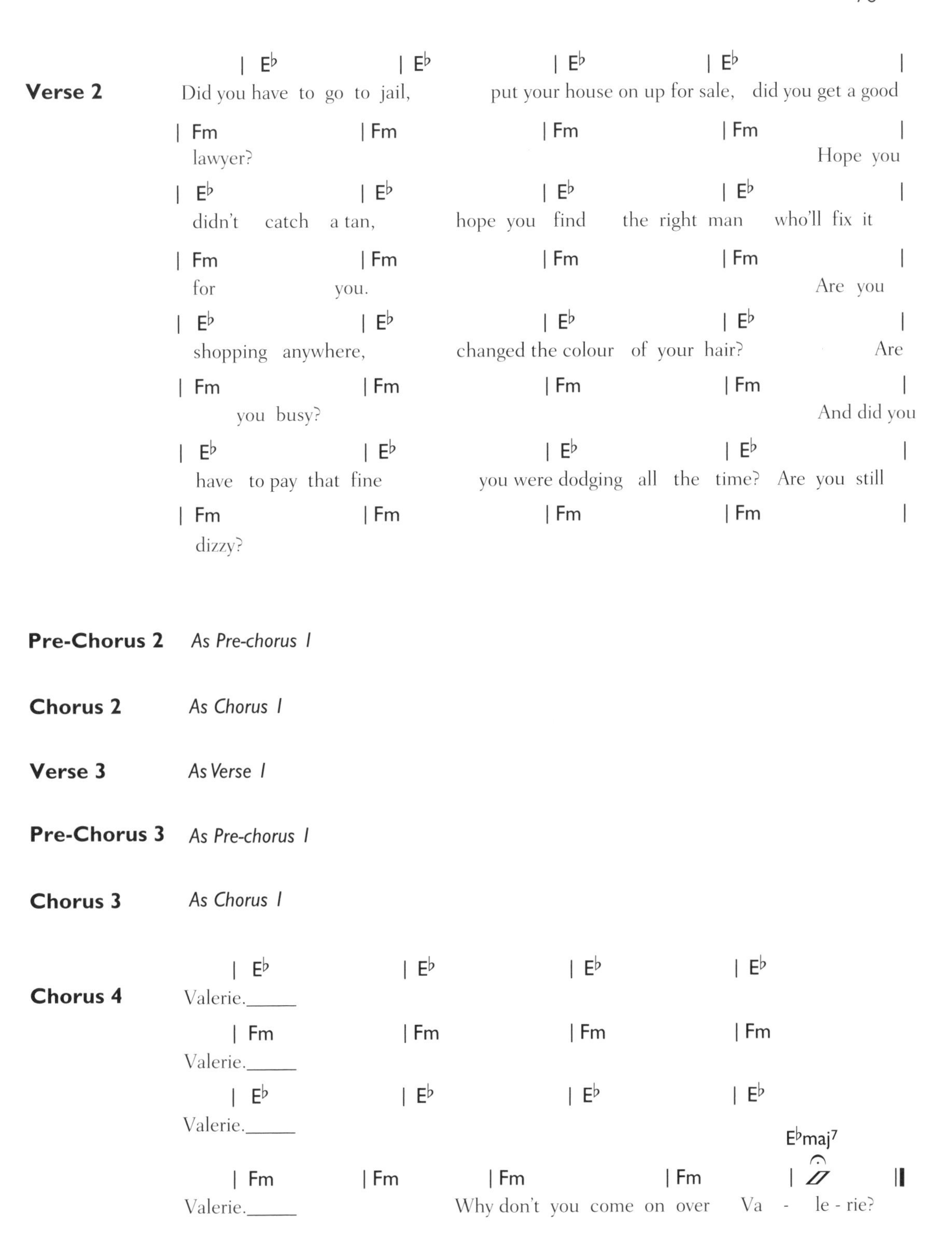
Verse 2
| E♭ | E♭ | E♭ | E♭ |
Did you have to go to jail, put your house on up for sale, did you get a good
| Fm | Fm | Fm | Fm |
lawyer? Hope you
| E♭ | E♭ | E♭ | E♭ |
didn't catch a tan, hope you find the right man who'll fix it
| Fm | Fm | Fm | Fm |
for you. Are you
| E♭ | E♭ | E♭ | E♭ |
shopping anywhere, changed the colour of your hair? Are
| Fm | Fm | Fm | Fm |
you busy? And did you
| E♭ | E♭ | E♭ | E♭ |
have to pay that fine you were dodging all the time? Are you still
| Fm | Fm | Fm | Fm |
dizzy?
Pre-Chorus 2
As Pre-chorus 1
Chorus 2
As Chorus 1
Verse 3
As Verse 1
Pre-Chorus 3
As Pre-chorus 1
Chorus 3
As Chorus 1
Chorus 4
| E♭ | E♭ | E♭ | E♭
Valerie.
| Fm | Fm | Fm | Fm
Valerie.
| E♭ | E♭ | E♭ | E♭
Valerie.
E♭maj7
| Fm | Fm | Fm | Fm |
Valerie. Why don't you come on over Va - le - rie?

WILD THING

Words and Music by Chip Taylor

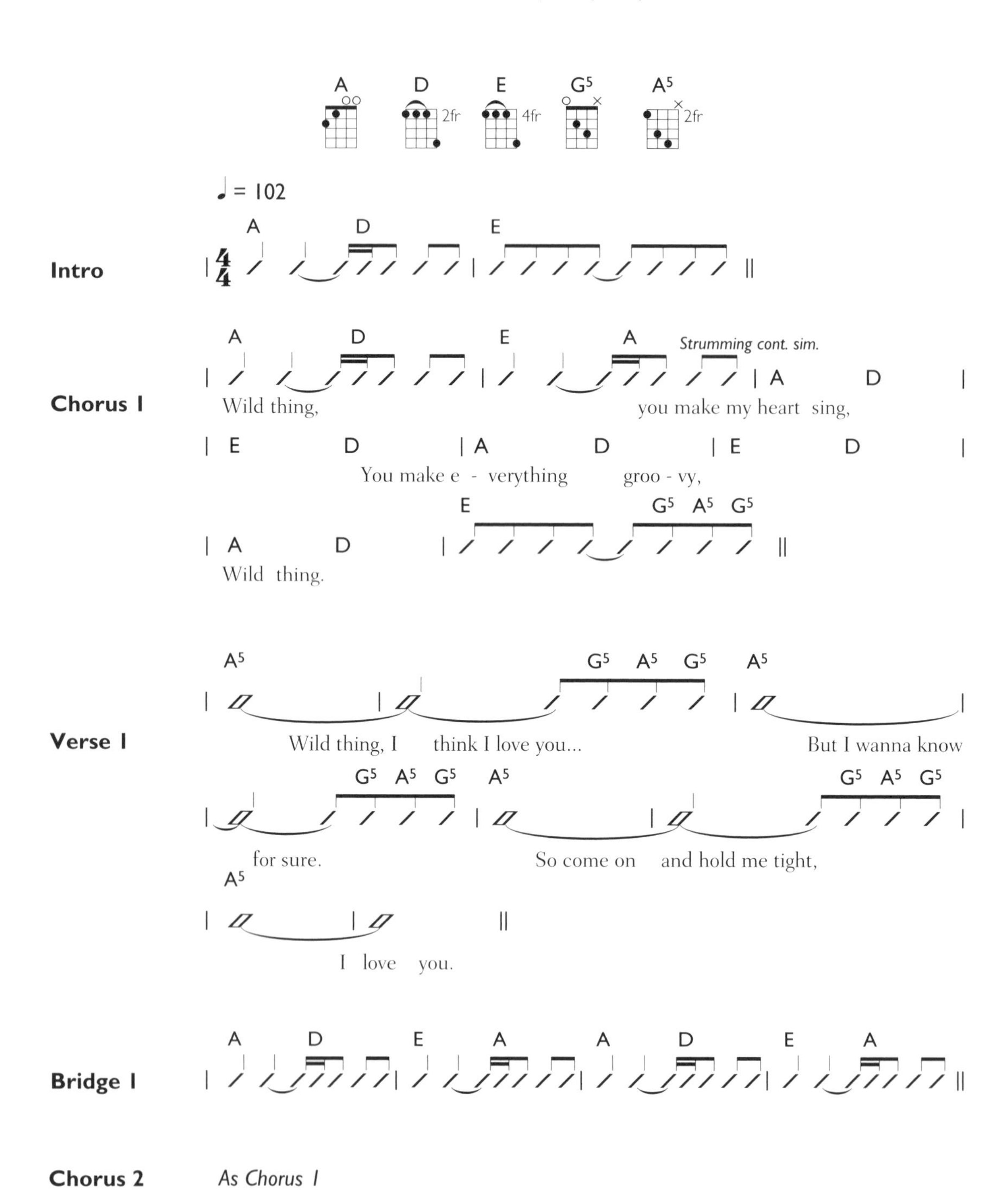
A D E G5 A5
2fr 4fr 2fr
♩ = 102
Intro
A D E
Chorus 1
A D E A
Strumming cont. sim.
A D
Wild thing, you make my heart sing,
E D A D E D
You make e - verything groo - vy,
A D E G5 A5 G5
Wild thing.
Verse 1
A5 G5 A5 G5 A5
Wild thing, I think I love you... But I wanna know
G5 A5 G5 A5 G5 A5 G5
for sure. So come on and hold me tight,
A5
I love you.
Bridge 1
A D E A A D E A
Chorus 2
As Chorus 1

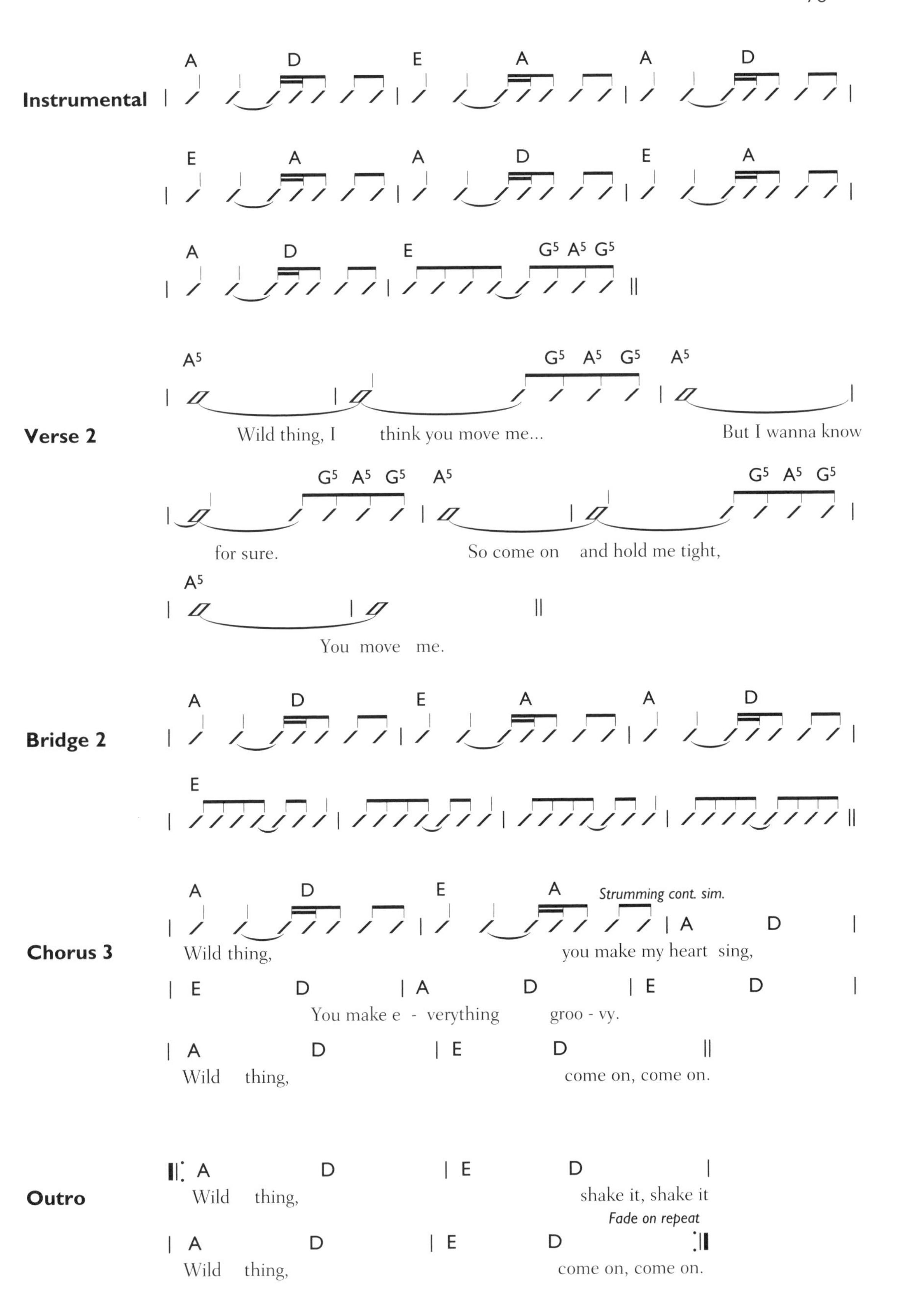
Instrumental
A D E A A D
E A A D E A
A D E G5 A5 G5
Verse 2
A5 G5 A5 G5 A5
Wild thing, I think you move me... But I wanna know
G5 A5 G5 A5 G5 A5 G5
for sure. So come on and hold me tight,
A5
You move me.
Bridge 2
A D E A A D
E
Chorus 3
A D E A Strumming cont. sim. A D
Wild thing, you make my heart sing,
E D A D E D
You make e - verything groo - vy.
A D E D
Wild thing, come on, come on.
Outro
A D E D
Wild thing, shake it, shake it
Fade on repeat
A D E D
Wild thing, come on, come on.

YOU'RE BEAUTIFUL

Words and Music by James Blunt, Sacha Skarbek and Amanda Ghost

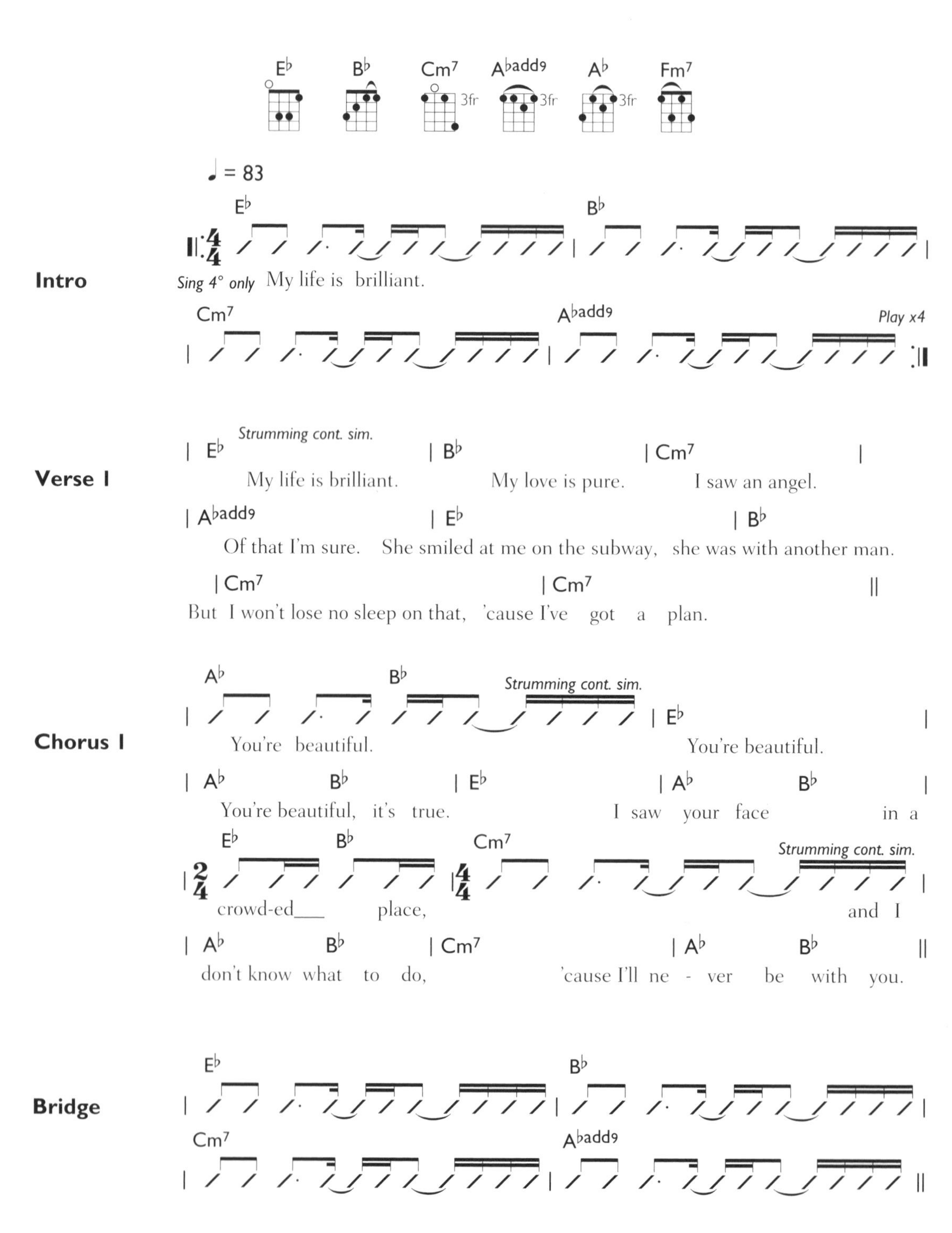
E♭ B♭ Cm7 A♭add9 A♭ Fm7
3fr 3fr 3fr
♩ = 83
Intro
E♭ B♭
Sing 4° only My life is brilliant.
Cm7 A♭add9
Play x4
Verse 1
E♭ Strumming cont. sim. B♭ Cm7
My life is brilliant. My love is pure. I saw an angel.
A♭add9 E♭ B♭
Of that I'm sure. She smiled at me on the subway, she was with another man.
Cm7 Cm7
But I won't lose no sleep on that, 'cause I've got a plan.
Chorus 1
A♭ B♭ Strumming cont. sim. E♭
You're beautiful. You're beautiful.
A♭ B♭ E♭ A♭ B♭
You're beautiful, it's true. I saw your face in a
E♭ B♭ Cm7 Strumming cont. sim.
crowd-ed___ place, and I
A♭ B♭ Cm7 A♭ B♭
don't know what to do, 'cause I'll ne - ver be with you.
Bridge
E♭ B♭
Cm7 A♭add9

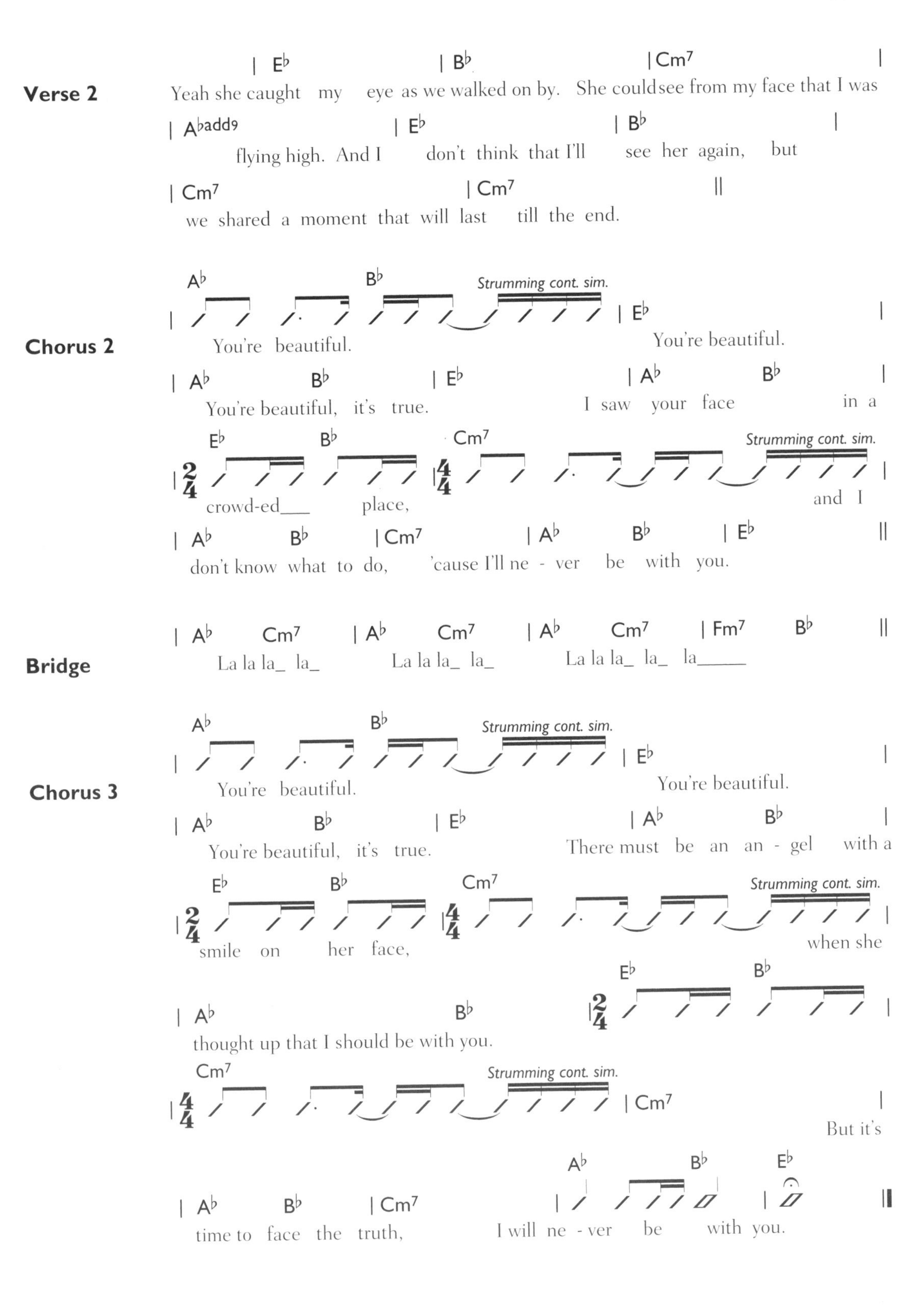
Verse 2
| E♭ | B♭ | Cm7 |
Yeah she caught my eye as we walked on by. She could see from my face that I was
| A♭add9 | E♭ | B♭ |
flying high. And I don't think that I'll see her again, but
| Cm7 | Cm7 ||
we shared a moment that will last till the end.
Chorus 2
A♭ B♭ Strumming cont. sim. | E♭ |
You're beautiful. You're beautiful.
| A♭ B♭ | E♭ | A♭ B♭ |
You're beautiful, it's true. I saw your face in a
E♭ B♭ Cm7 Strumming cont. sim.
crowd-ed___ place, and I
| A♭ B♭ | Cm7 | A♭ B♭ | E♭ ||
don't know what to do, 'cause I'll ne - ver be with you.
Bridge
| A♭ Cm7 | A♭ Cm7 | A♭ Cm7 | Fm7 B♭ ||
La la la_ la_ La la la_ la_ La la la_ la_ la_____
Chorus 3
A♭ B♭ Strumming cont. sim. | E♭ |
You're beautiful. You're beautiful.
| A♭ B♭ | E♭ | A♭ B♭ |
You're beautiful, it's true. There must be an an - gel with a
E♭ B♭ Cm7 Strumming cont. sim.
smile on her face, when she
| A♭ B♭ E♭ B♭ |
thought up that I should be with you.
Cm7 Strumming cont. sim. | Cm7 |
But it's
| A♭ B♭ | Cm7 | A♭ B♭ E♭ |
time to face the truth, I will ne - ver be with you.